opération
enfant
soleil

Conception des jeux:
Jessica Papineau-Lapierre
Chantal Morissette
Marjolaine Pageau
Katia Senay
Sophie Binette

Graphisme de la couverture:
Marjolaine Pageau

Graphisme et mise en page:
Sophie Binette

1350 Marie-Victorin
St-Bruno-de-Montarville (Québec) CANADA, J3V 6B9
Téléphone: 450-653-1337
Télécopieur: 450-653-9924
www.editionsgoelette.com

Dépôts légaux:
Bibliothèque nationale et Archives du Québec
Bibliothèque nationale du Canada
Deuxième trimestre 2012

ASSOCIATION NATIONALE DES ÉDITEURS DE LIVRES
Membre de l'Association Nationale des Éditeurs de Livres

Imprimé au Canada

ISBN: 978-2-89690-188-3

OPÉRATION ENFANT SOLEIL
EN QUELQUES QUESTIONS

Édouard Moranville, 7ans
Photo : Ladislas Kadyszewski

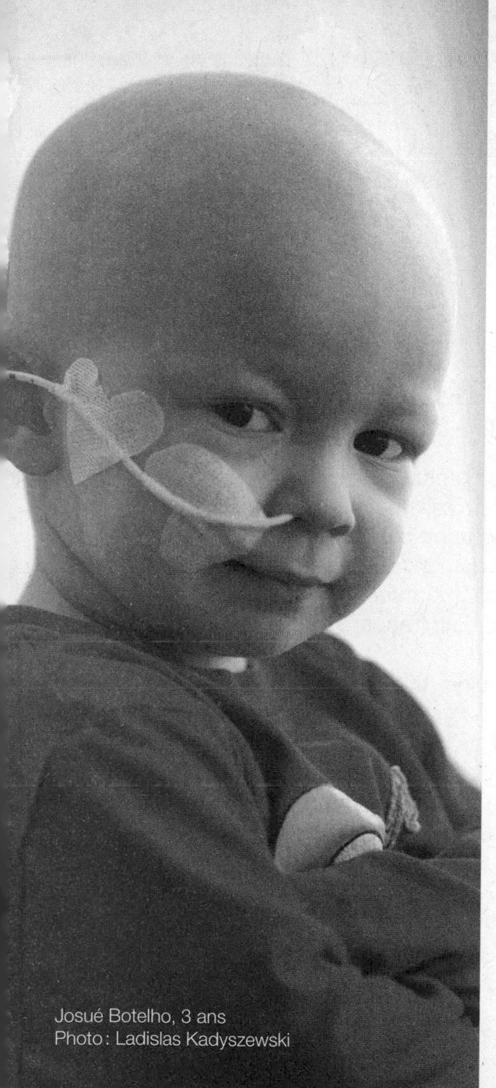

Josué Botelho, 3 ans
Photo : Ladislas Kadyszewski

1

DEPUIS LA FONDATION D'OPÉRATION ENFANT SOLEIL, COMBIEN D'ARGENT A ÉTÉ RECUEILLI POUR LES HÔPITAUX ET LES ORGANISMES QUÉBÉCOIS ?

De 1988 à aujourd'hui, c'est plus de 150 millions de dollars qui ont été remis aux grands centres pédiatriques, aux centres hospitaliers régionaux ainsi qu'aux organismes de la province.

2

À QUI CES SOMMES SONT-ELLES DISTRIBUÉES ?

Les sommes recueillies sont remises en partie aux quatre grands centres pédiatriques du Québec :

- le Centre mère-enfant du Centre hospitalier universitaire de Québec ;
- le Centre hospitalier universitaire Sainte-Justine de Montréal ;
- l'Hôpital de Montréal pour enfants du Centre universitaire de santé McGill ;
- le Centre hospitalier universitaire de Sherbrooke.

Plus de 85 octrois sont également versés chaque année à des centres hospitaliers régionaux et à des organismes[1].

[1] 87 % des sommes recueillies sont versées aux grands centres pédiatriques et 13 % à des organismes et des centres hospitaliers régionaux.

Opération Enfant Soleil est un organisme à but non lucratif qui amasse des fonds pour soutenir le développement d'une pédiatrie de qualité et contribuer à la réalisation de projets d'intervention sociale pour tous les enfants du Québec.

opération enfant soleil

3

DE QUELLES FAÇONS CET ARGENT EST-IL UTILISÉ?

- Les grands centres pédiatriques du Québec se dotent d'équipements et d'installations à la fine pointe de la technologie et aménagent des espaces spécialement adaptés pour les enfants malades;
- Les centres hospitaliers régionaux se procurent de l'équipement spécialisé, ce qui permet aux enfants d'être soignés dans leur région, près de leur famille;
- Les organismes œuvrant en santé sociale et physique achètent du matériel spécialisé pour les jeunes.

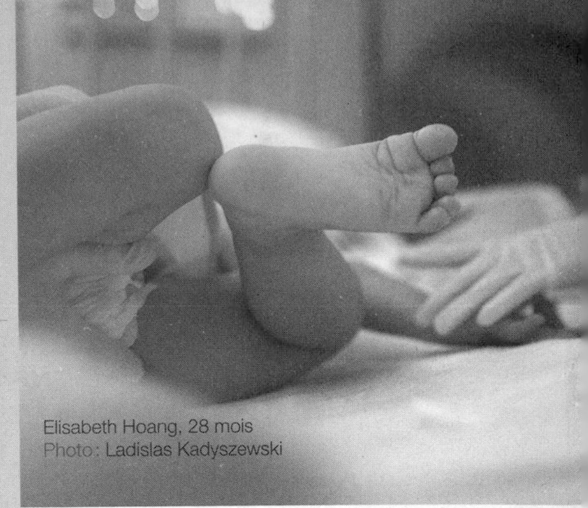

Elisabeth Hoang, 28 mois
Photo: Ladislas Kadyszewski

4

DE QUELLE FAÇON LES PROJETS SONT-ILS CHOISIS?

Des comités d'analyse indépendants, formés de professionnels du milieu de la santé, effectuent une sélection parmi la centaine de demandes reçues. Les projets retenus doivent ensuite être approuvés par le conseil d'administration d'Opération Enfant Soleil.

L'équipe d'Opération Enfant Soleil se rend dans les quatre grands centres pédiatriques et les centres hospitaliers régionaux afin de remettre les octrois et rencontrer les partenaires, les enfants hospitalisés et le personnel hospitalier.

Finalement, un rigoureux processus de suivi permet à Opération Enfant Soleil de s'assurer que les sommes qu'elle a versées aux hôpitaux ont été investies afin de réaliser les projets pour lesquelles elles ont été remises.

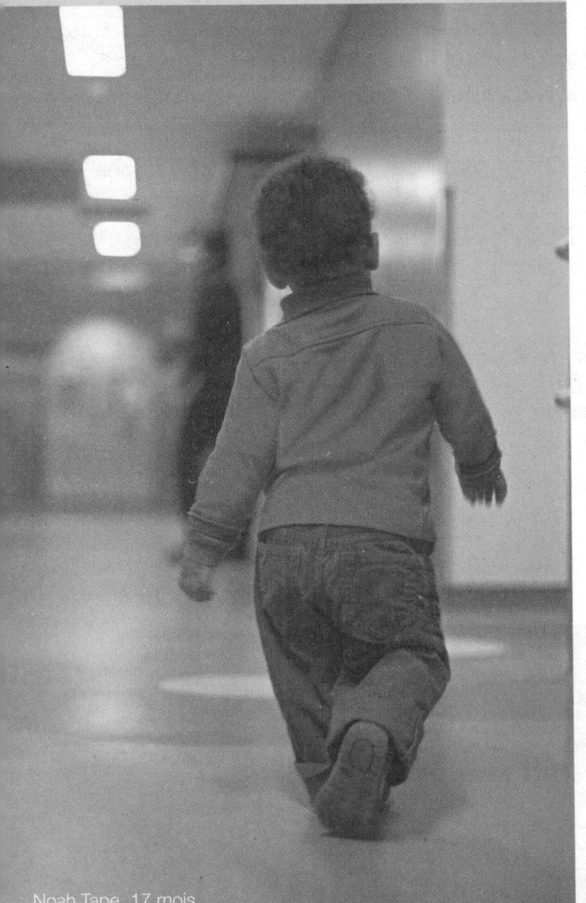

Noah Tape, 17 mois
Photo: Ladislas Kadyszewski

Photo : Ladislas Kadyszewski

5

QU'EST-CE QUE LE TÉLÉTHON OPÉRATION ENFANT SOLEIL ?

Le Téléthon est la plus importante activité organisée par Opération Enfant Soleil. Le chiffrier final de la 24e édition affichait un montant de 17 221 000 $. Il est diffusé en direct pendant 25 heures, ce qui en fait l'un des plus importants téléthons en Amérique du Nord.

Plus de 1700 bénévoles, artistes et techniciens de la scène et 1200 partenaires prennent part à l'organisation de cet événement. Les dons du public sont recueillis grâce au soutien de 70 centres d'appels situés partout en province et par le site Internet d'Opération Enfant Soleil.

Le Téléthon est un événement riche en émotions où les enfants sont à l'honneur tant sur la scène qu'en coulisses. Une loge spécialement conçue pour les Enfants Soleil et leur famille est le théâtre de moments magiques dont des rencontres avec les artistes et même des concerts privés !

CONCOURS JEUNES ESPOIRS

Le Concours Jeunes Espoirs permet de découvrir de jeunes talents. L'an dernier, 17 finalistes ont été sélectionnés pour participer au concours. Les trois gagnants ont eu la chance de se produire en direct aux heures de grande écoute. Ils ont reçu une bourse et l'un d'entre eux pourra enregistrer sa chanson dans un studio professionnel.

6

QUELLES SONT LES AUTRES ACTIVITÉS OU ÉVÉNEMENTS ORGANISÉS PAR OPÉRATION ENFANT SOLEIL ?

Opération Enfant Soleil organise, en collaboration avec ses partenaires, différents événements tout au long de l'année: le tirage de la Maison Enfant Soleil, la Classique de golf, les deux dégustations de prestige que sont les Fous Gourmands et les Toqués du vin, la Campagne Soleils[2] et la Campagne Halloween[3].

En plus de ces événements, des milliers de collectes de fonds sont organisées tout au long de l'année grâce à l'appui et à la générosité de milliers de bénévoles et de plus de 1200 partenaires provenant de toutes les régions du Québec (entreprises, particuliers, milieux scolaires, clubs sociaux, garderies, etc.).

[2] Vente de soleils et de rudbeckias.
[3] Récolte de fonds à l'aide de tirelires.

7

QUI SONT LES ENFANTS SOLEIL ?

Chaque année, Opération Enfant Soleil honore le courage d'enfants qui affrontent la maladie. Provenant de 18 régions du Québec, les Enfants Soleil et leur famille deviennent des ambassadeurs de la cause en racontant leur histoire lors du Téléthon et de divers événements de collecte de fonds.

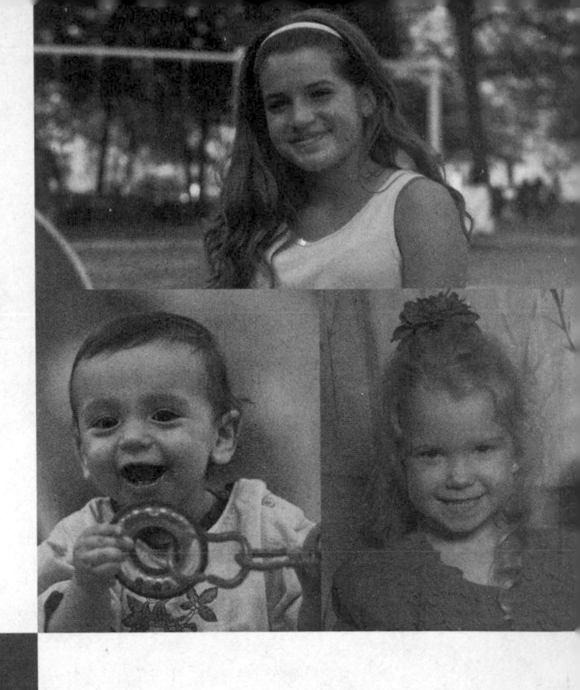

Sur les photos, de gauche à droite et de haut en bas:
Andréa-Carolina Aguirre, 12 ans, Enfant Soleil des Laurentides 2011
Nathan Lavoie, 11 mois, Enfant Soleil du Bas-Saint-Laurent 2011,
photo : Ladislas Kadyszewski
Sara-Maude Lussier, 4 ans, Enfant Soleil de la Montérégie 2011

8

QUI SONT LES ANIMATEURS D'OPÉRATION ENFANT SOLEIL ?

Les animateurs sont des personnalités qui s'impliquent bénévolement et démontrent leur attachement à la cause tout au long de l'année. Que ce soit lors de la tournée provinciale des octrois, de visites d'enfants hospitalisés ou d'activités organisées par nos partenaires, ils mettent leur talent à profit pour le mieux-être des enfants malades.

Sur la photo, de gauche à droite et de haut en bas :
Philippe Fehmiu, Louis-Georges Girard, Isabelle Cyr, Jasmin Roy, Anick Dumontet, Mélanie Gagné
Alain Dumas, Alex Perron, Annie Brocoli, Joël Legendre, Claudine Prévost et Josée Lavigueur
Photo : Ladislas Kadyszewski

9

QUI EST DR TOUDOUX?

Docteur Toudoux est la mascotte d'Opération Enfant Soleil. C'est un koala très affectueux qui adore faire des câlins avec les petits cœurs qu'il a dans les mains.

À l'été 2009, Annie Brocoli a relevé un grand défi lors de sa participation à l'émission *Le moment de vérité* : apprendre une séquence complexe de mouvements de tai-chi. La réussite de ce défi lui a permis d'offrir un cadeau aux enfants, la création d'une mascotte pour Opération Enfant Soleil.

C'est avec l'aide d'un comité d'experts composé d'Éloïse Beaupré, Enfant Soleil des Laurentides, et de ses frères et sœurs, que la nouvelle mascotte a été créée.

Le 6 juin 2010, lors du Téléthon Opération Enfant Soleil, Dr Toudoux a fait sa première apparition. Pour l'occasion, Arthur L'aventurier lui a écrit une chanson qu'il a interprétée en compagnie d'une vingtaine d'enfants.

Dr Toudoux, mascotte d'Opération Enfant Soleil
Photo : Yves Lefevre

JE DÉSIRE M'IMPLIQUER EN ORGANISANT UNE ACTIVITÉ

C'est très simple, vous n'avez qu'à communiquer avec nous au numéro sans frais

1 877 683-2325

10

POURQUOI OPÉRATION ENFANT SOLEIL?

Opération Enfant Soleil est la plus grande chaîne de solidarité pour venir en aide aux enfants malades du Québec peu importe leur maladie.

Ensemble, nous pouvons accomplir de très grandes choses. Chaque don fait à Opération Enfant Soleil, peu importe le montant, contribue à offrir ce qu'il y a de mieux aux enfants.

Grâce aux dons recueillis, Opération Enfant Soleil rend possible chaque année la réalisation de centaines de projets sur tout le territoire du Québec.
Les sommes recueillies permettent d'offrir des soins très spécialisés dans les quatre grands centres pédiatriques de la province. Chaque jour, 1800 enfants fréquentent ces centres ; de ce nombre, un enfant sur deux provient d'une région autre que Québec, Montréal et Sherbrooke.
Les dons permettent également d'appuyer des organismes et des centres hospitaliers régionaux et ainsi de soigner les enfants dans leur région, près de leur famille.
C'est pourquoi des milliers de personnes choisissent de soutenir Opération Enfant Soleil année après année.

De la part des enfants malades du Québec, merci de tout cœur d'être là !

SIÈGE SOCIAL À QUÉBEC
2160, rue Cyrille-Duquet, bureau 200
Québec (Québec) G1N 2G3
Tél. : 418 683-2323 • Téléc. : 418 683-9887

BUREAU DE MONTRÉAL
255, boulevard Crémazie Est, bureau 160
Montréal (Québec) H2M 1M2
Tél. : 514 380-2323 • Téléc. : 514 380-9887
Numéro sans frais : 1 877 683-2325

www.operationenfantsoleil.ca

EXPLICATIONS DES JEUX

LABYRINTHE

Entre dans le labyrinthe et trouve le chemin de la sortie.

SUDOKU

Remplis la grille avec les chiffres de 1 à 6 en respectant 3 règles: chaque case doit contenir un chiffre, tous les chiffres de 1 à 6 doivent se retrouver dans chaque colonne, rangée et région, aucun chiffre ne doit se répéter dans une même colonne, rangée ou région.

LES ENSEMBLES

Dessine dans chaque bulle grise les dessins manquants pour arriver au nombre indiqué.

6 ERREURS

Trouve les 6 différences entre les deux images.

L'ARTISTE

Reproduis le dessin du bas à l'intérieur du cercle.

L'HEURE

Trace des lignes pour associer les heures ensemble.

SUDOKU DESSINS

On applique les mêmes principes que pour le sudoku sauf que les chiffres sont remplacés par des dessins.

EXPLICATIONS DES JEUX

CARRÉ MAGIQUE

Place les nombres en-dessous dans le carré magique afin que la somme de chaque colonne, chaque rangée et chaque diagonale soit égale à celle donnée.

DESSIN À COLORIER

Amuse-toi et mets de la couleur.

BINGO

Trouve la ligne gagnante. Encercle dans la grille les cases qui correspondent aux jetons pigés. Prends garde, car il y a plus de jetons que de cases dans ta grille. La case du centre de la grille est gratuite, tu peux l'encercler tout de suite. À la fin, lorsque tu auras découvert ta ligne gagnante tu pourras crier BINGO!

PARFAITE ORTHOGRAPHE

Un seul de ces mots est bien écrit, découvre lequel.

LE DOUBLE

À l'aide de la grille, reproduis le dessin.

MÉLI-MÉLO

Retrace et colorie dans le méli-mélo, toutes les lettres du mot écrit en haut.

EXPLICATIONS DES JEUX

SYMÉTRIE

Trace le reflet du dessin de l'autre côté de la ligne comme s'il s'agissait d'un miroir.

BOURRASQUES DE MOTS

À partir des mots donnés, forme de nouveaux mots en mélangeant l'ordre des lettres. Sers-toi des lettres qui sont écrites.

LE SERRURIER

Effectue les additions, soustractions, multiplications et divisions se trouvant en dessous des cadenas. Ensuite, relie chaque cadenas à la clé qui présente le même résultat.

LE TRADUCTEUR

À l'aide de la liste de mots et des illustrations, écris sous chaque image le mot anglais qui lui correspond.

LE JUMEAU

Chaque dessin est différent par rapport au premier sauf un qui est identique, trouve lequel.

TORNADES DE LETTRES

En replaçant les lettres au bon endroit, découvre le mot.

EXPLICATIONS DES JEUX

MOTS ENTRECROISÉS

Place tous les mots de la liste dans la grille.
Un truc : commence par placer le mot le plus long.

MOT DANS L'OMBRE

Remplis les cases à l'aide des indices donnés.
Les lettres dans l'ombre forment le mot-solution.

MOTS CACHÉS

Trouve tous les mots de la liste
et encercle-les dans la grille.

POINT EN POINT

Relie tous les points numérotés, du plus petit
au plus grand, pour former un dessin.

MOTS À DÉCOUVRIR

Découvre le mot correspondant pour chacune des images
puis, à partir de la lettre fléchée de chacun
des mots, découvre le mot solution.

CODE SECRET

À partir du code secret, découvre la phrase cachée.

LABYRINTHE

Départ

Arrivée

SUDOKU

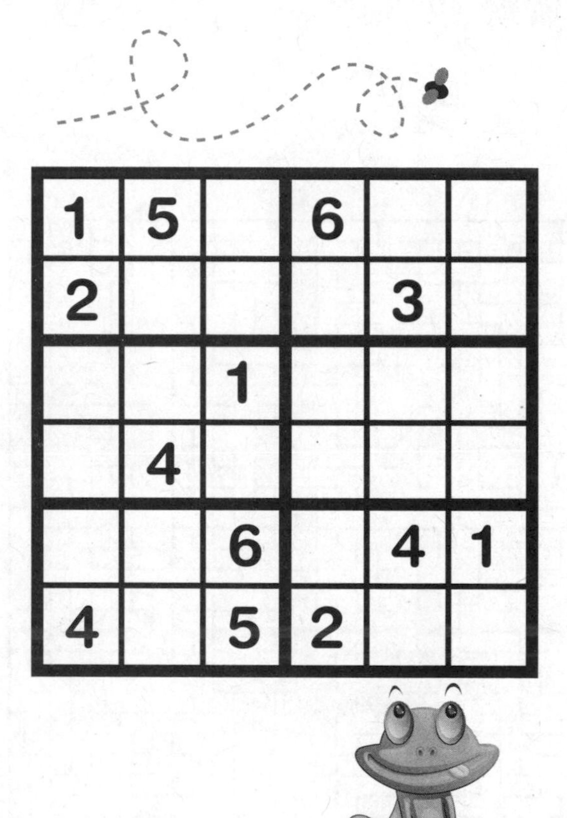

1	5		6		
2				3	
		1			
	4				
		6		4	1
4		5	2		

Connais-tu l'organisme ?

Quelle est la mission d'Opération Enfant Soleil ?

a. Prendre soin des enfants
b. Prendre soin des personnes âgées
c. Promouvoir la recherche spatiale

Réponse : a. prendre soin des enfants

LES ENSEMBLES

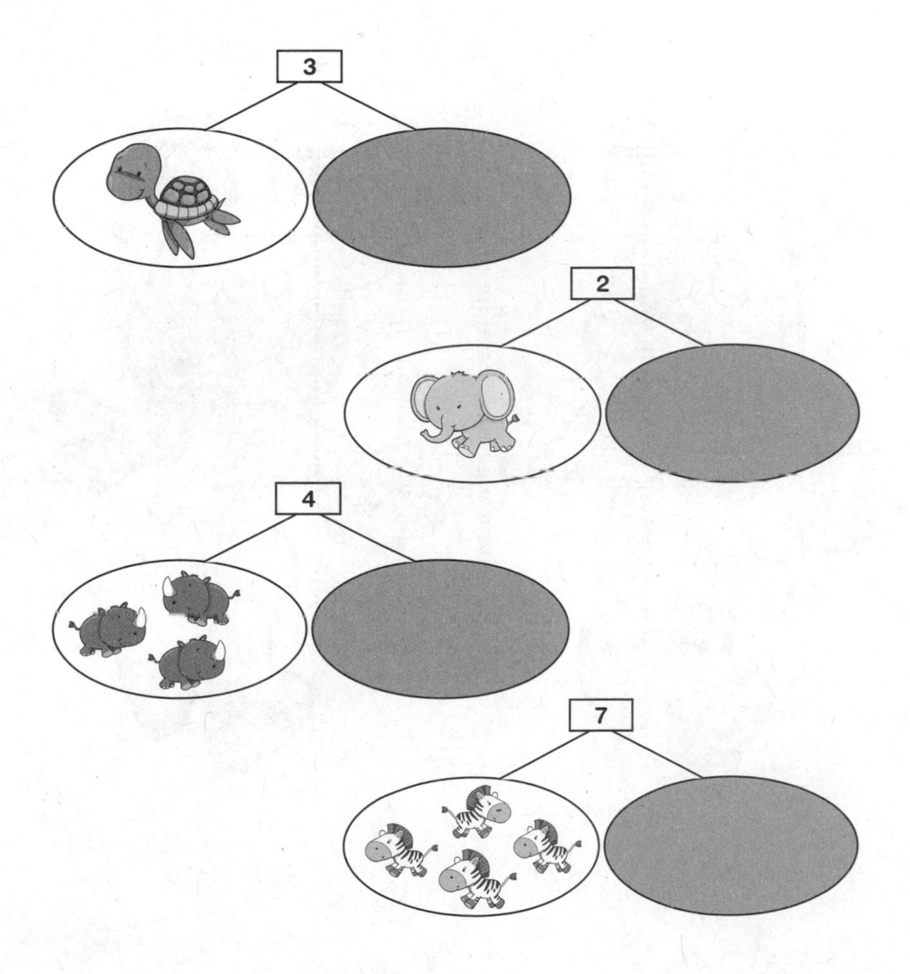

6 ERREURS

Connais-tu l'organisme?

Vrai ou faux? Le Téléthon a lieu depuis les débuts d'Opération Enfant Soleil.

Réponse : Vrai

L'ARTISTE

L'HEURE

SUDOKU DESSINS

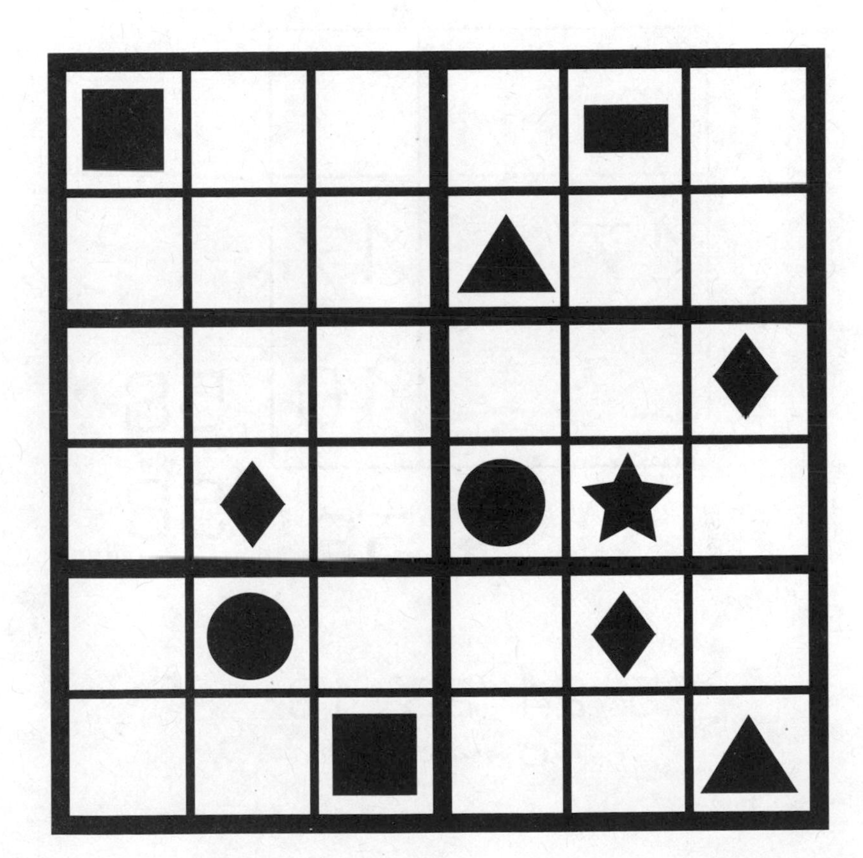

CARRÉ MAGIQUE

17		17	
		16	58
			58
		58	

25 24 23 19
18 15

Connais-tu l'organisme ?

En quelle année a été fondé Opération Enfant Soleil ?

a. 1899
b. 1988
c. 2000

Réponse : b. 1988

DESSIN À COLORIER

Connais-tu l'organisme?

Dans quelle ville a lieu le Téléthon?

a. Montréal
b. Québec
c. Trois-Rivières

Réponse : b. Québec

BINGO

G 53	G 54	N 34	O 72	I 21	N 37	G 50	B 15
O 68	O 75	N 33	G 51	N 43	N 40	I 20	N 41
G 55	B 1	O 70	G 49	B 10	B 7	I 27	B 13
I 17	I 29	O 64	G 48	I 19	N 44	O 66	I 18
O 67	G 46	O 74	O 63	B 8	O 61	O 71	N 31

B	I	N	G	O
7	23	34	58	71
13	24	37	56	67
4	30	Gratuit	51	64
9	28	41	47	66
14	21	32	49	70

PARFAITE ORTHOGRAPHE

 **CHANPIGNON**

 **CHENPIGNON**

 **CHAMPIGNON**

LE DOUBLE

MÉLI-MÉLO

JOUET

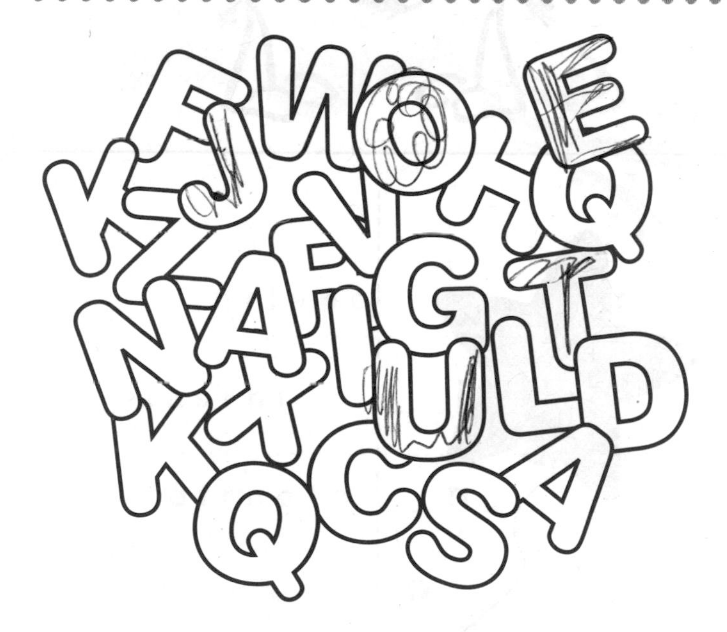

Connais-tu l'organisme ?

Dans quelle ville se trouve le siège social d'Opération Enfant Soleil ?

a. Québec
b. Montréal
c. Toronto

Réponse : a. Québec

LE JUMEAU

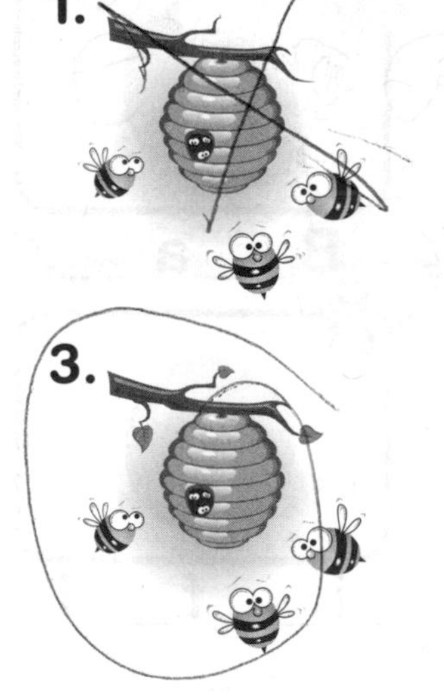

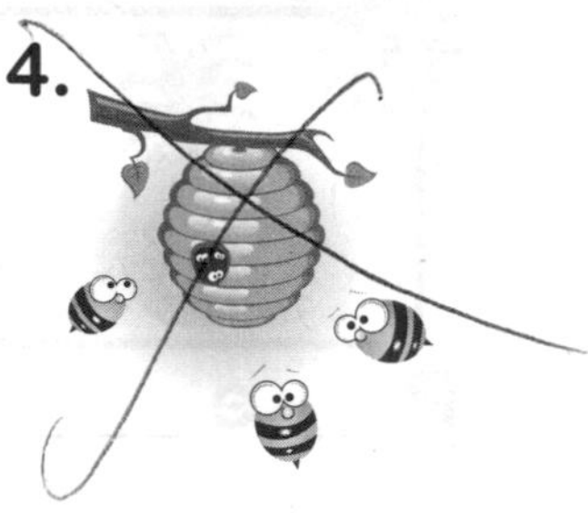

TORNADES DE LETTRES

MOTS ENTRECROISÉS

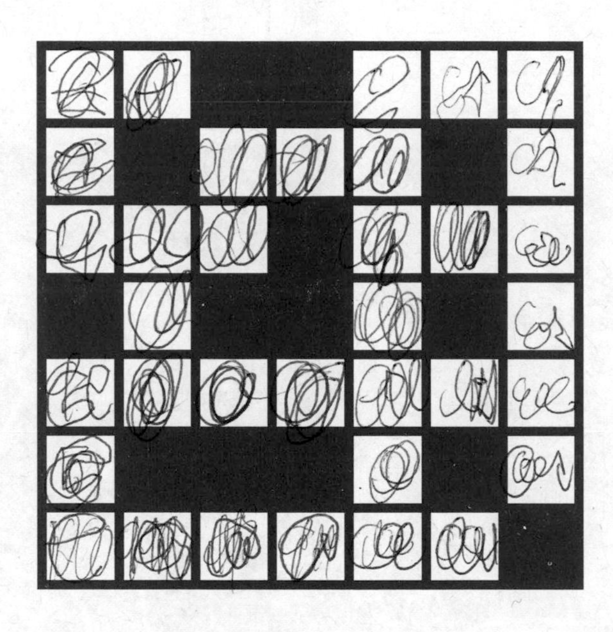

2
Se
Si

3
Ami
Clé
Oui
Roi
Sur
Sûr
Vis

6
Éviter
Sonner

7
Cravate
Village

MOT DANS L'OMBRE

1					
2					
3					
4					

Joli, adorable

1 **Baignoire.**
2 **Breuvage clair.**
3 **Objet pour se défendre ou attaquer.**
4 **Lieu où l'on fabrique des produits.**

L'ARTISTE

L'ARTISTE

6 ERREURS

Connais-tu l'organisme?

Où a lieu le Téléthon Opération Enfant Soleil?

a. À l'Université Laval à Québec
b. Au Pavillon de la jeunesse sur le site d'ExpoCité à Québec
c. Au Musée des Beaux-arts de Québec

Réponse : b. Au Pavillon de la jeunesse sur le site d'ExpoCité à Québec

L'HEURE

SUDOKU DESSINS

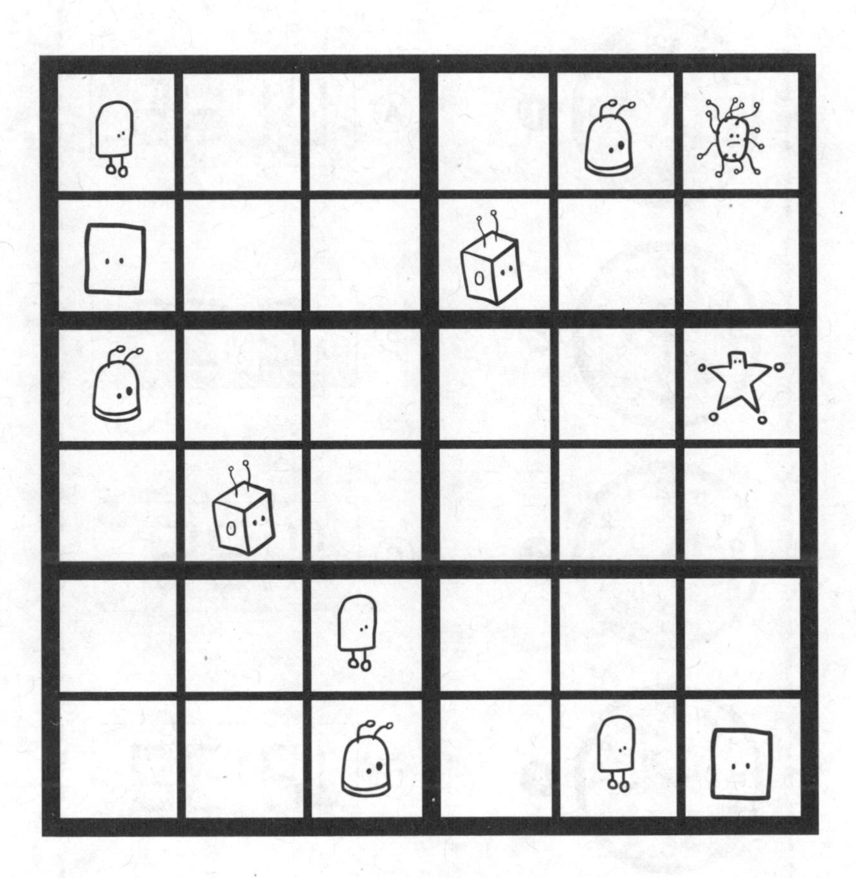

CARRÉ MAGIQUE

	11	
	30	25

60

60

60

39 33 19 16
5 2

Connais-tu l'organisme ?

Quel pourcentage des sommes recueillies par Opération Enfant Soleil est dédié chaque année à la mission de l'organisation ?

a. Moins de 60%
b. Près de 75%
c. Plus de 80 %

Réponse : c. Plus de 80 %

DESSIN À COLORIER

Connais-tu l'organisme?

À combien s'élevait le montant record recueilli lors duTéléthon 2011 ?

a. 17 000 010 $
b. 16 868 400 $
c. 17 221 000 $

Réponse : c. 17 221 000 $

BINGO

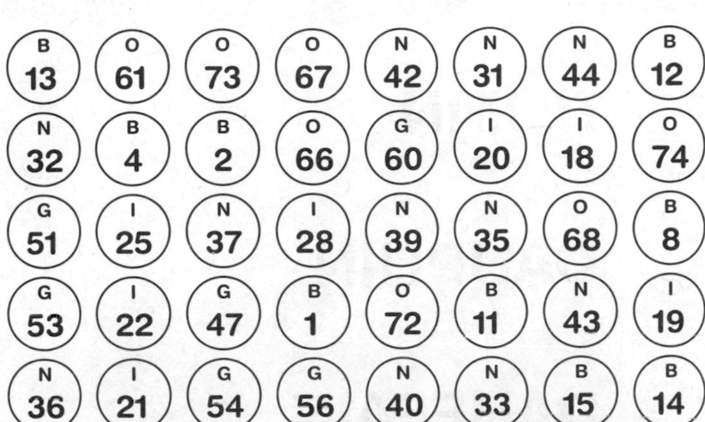

B	I	N	G	O
12	28	33	53	63
2	21	40	48	67
3	20	Gratuit	59	66
7	25	45	57	61
15	19	43	50	68

PARFAITE ORTHOGRAPHE

◯ **DOFIN**

◯ **DAUPHIN**

◯ **DAUFFAIN**

LE DOUBLE

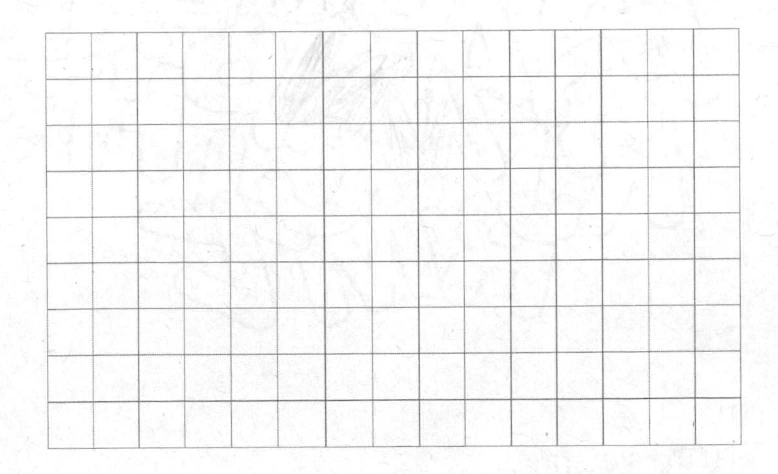

MÉLI-MÉLO

TENNIS

Connais-tu l'organisme ?

À quoi servent les dons faits à Opération Enfant Soleil ?

a. À créer des programmes d'art et de musique pour les enfants dans les hôpitaux
b. À adapter les soins hospitaliers aux besoins des enfants de tout le Québec
c. À acheter des toutous aux enfants malades

Réponse : b. À adapter les soins hospitaliers aux besoins des enfants de tout le Québec

SYMÉTRIE

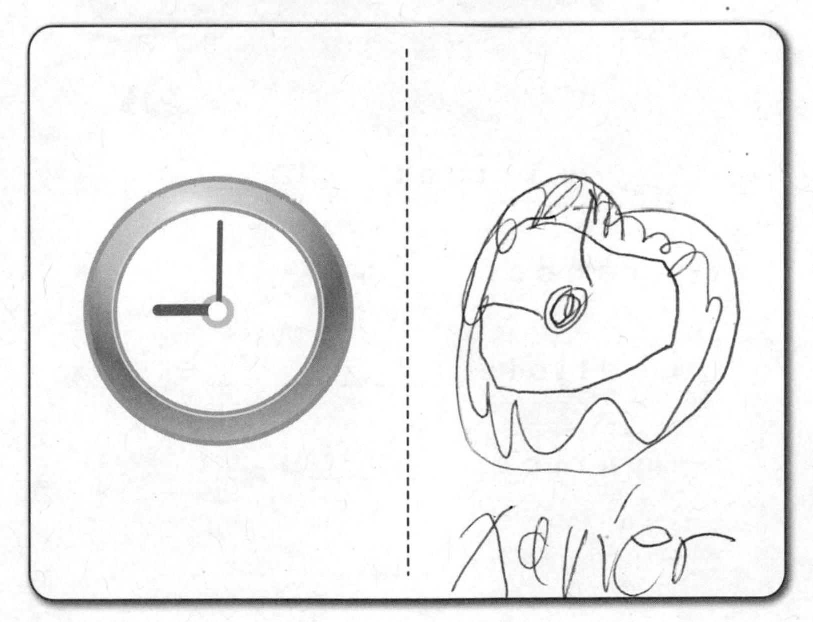

BOURRASQUES DE MOTS

mêpteet _ _ m _ _ _ _

rehocr _ o _ _ _ _

lubetiole _ _ _ _ _ _ _ _ e

ivurtoe _ _ _ _ u _ _

ucimohor _ _ _ c _ _ _ _

LE SERRURIER

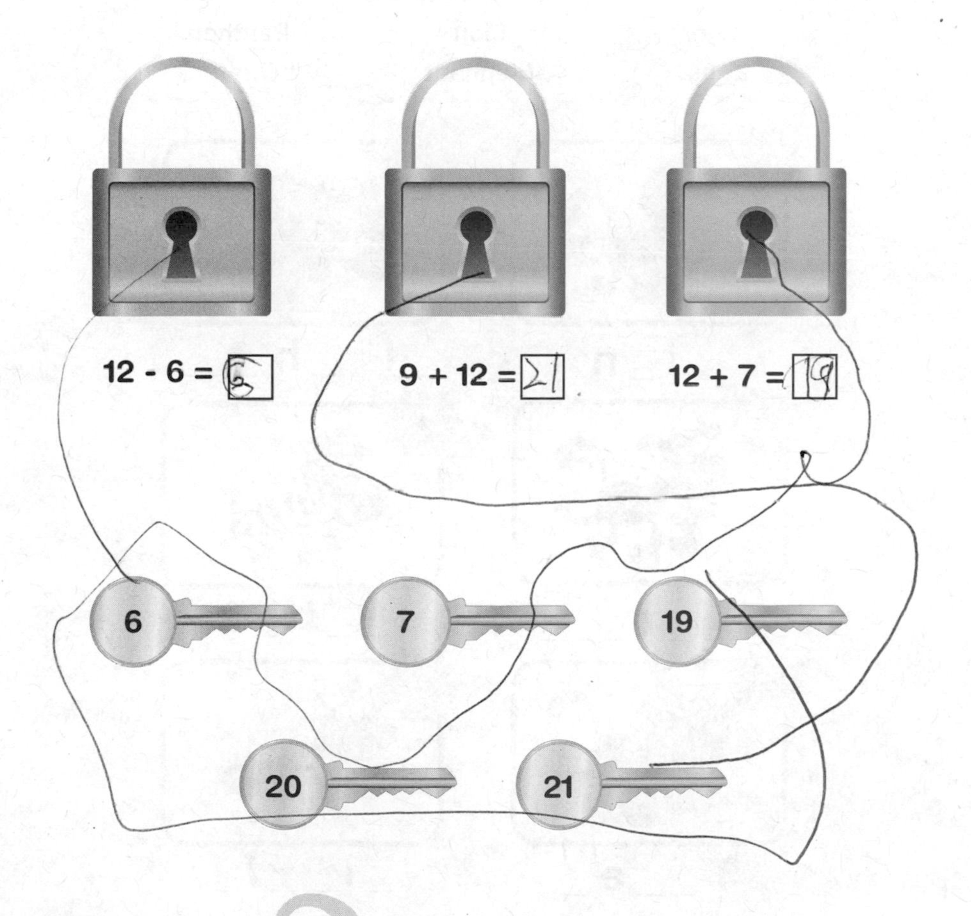

Connais-tu l'organisme ?

Vrai ou faux ? Opération Enfant Soleil vend des objets promotionnels.

Réponse : Vrai.

LE TRADUCTEUR

JUNGLE ANIMALS

Tiger	Lion	Panther
Zebra	Elephant	Girafe

_ i _ n

_ l _ _ h _ _ _

P _ _ t _ _ _

_ _ b _ a

T _ _ e _

_ i _ _ f _

LE JUMEAU

1\.

2\.

3\.

4\.

TORNADES DE LETTRES

MOTS ENTRECROISÉS

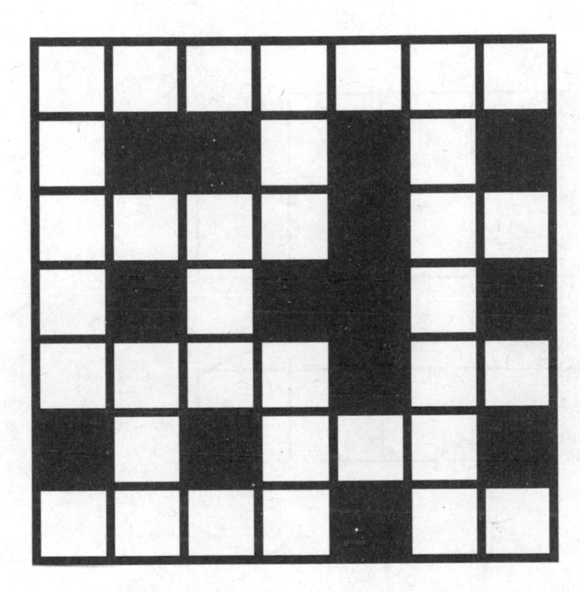

2
An
Se
Un

3
Ami
Eau
Lui
Rue
Tel

4
Dieu
Elle
Vite

5
Envie

7
Extrême
Mauvais

MOT DANS L'OMBRE

1					
2					
3					
4					

Période où l'on dort

1. Point cardinal.
2. Avantageux, bon, pratique.
3. Partie de l'œil.
4. Notre planète.

MOTS CACHÉS

B	L	I	C	O	R	N	E	C
I	D	A	R	T	R	O	N	E
J	R	I	C	O	U	R	I	O
O	C	H	A	T	E	A	U	S
U	F	L	A	M	B	E	A	U
R	E	I	N	E	A	S	E	E
D	R	A	G	O	N	N	E	F
C	H	E	V	A	L	P	T	E
P	R	I	N	C	E	S	S	E

Bijou
Château
Cheval
Cour
Diamant
Dragon
Epée
Fée
Flambeau
Licorne
Princesse
Reine
Roi
Trône

Mot de 8 lettres :

____

POINT EN POINT

Connais-tu l'organisme ?

Vrai ou faux ? Opération Enfant Soleil a été fondé par un centre hospitalier.

Réponse : Vrai

MOTS À DÉCOUVRIR

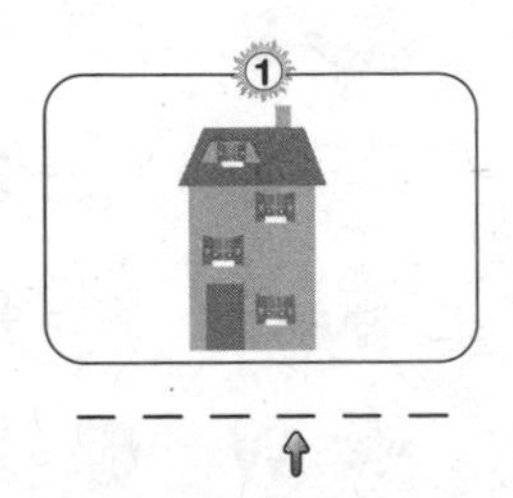

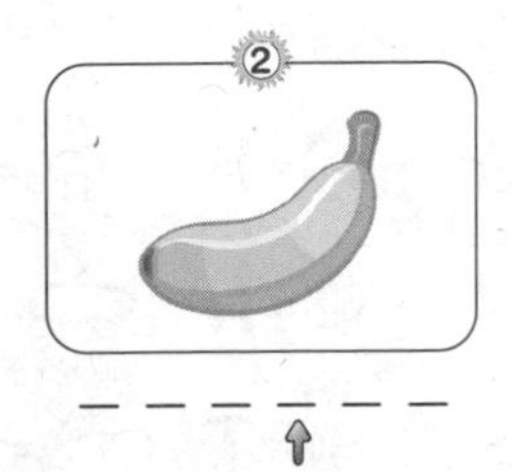

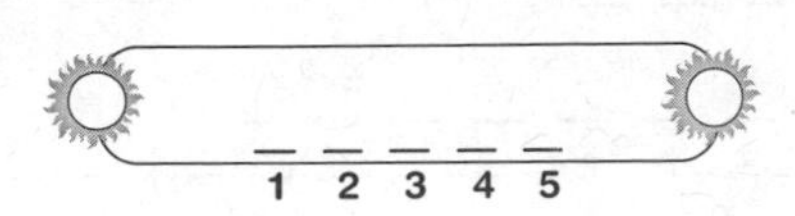

CODE SECRET

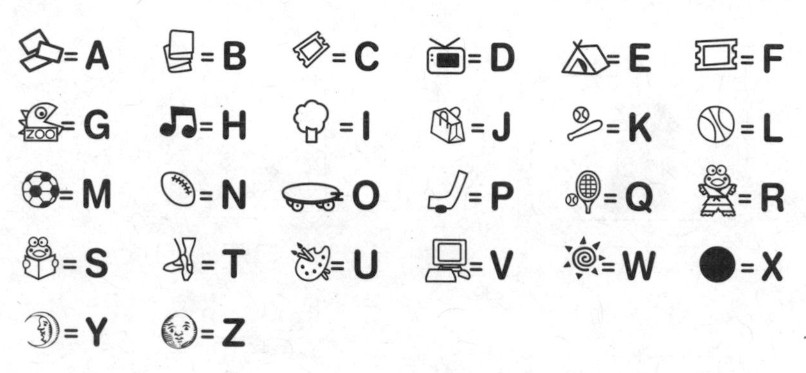

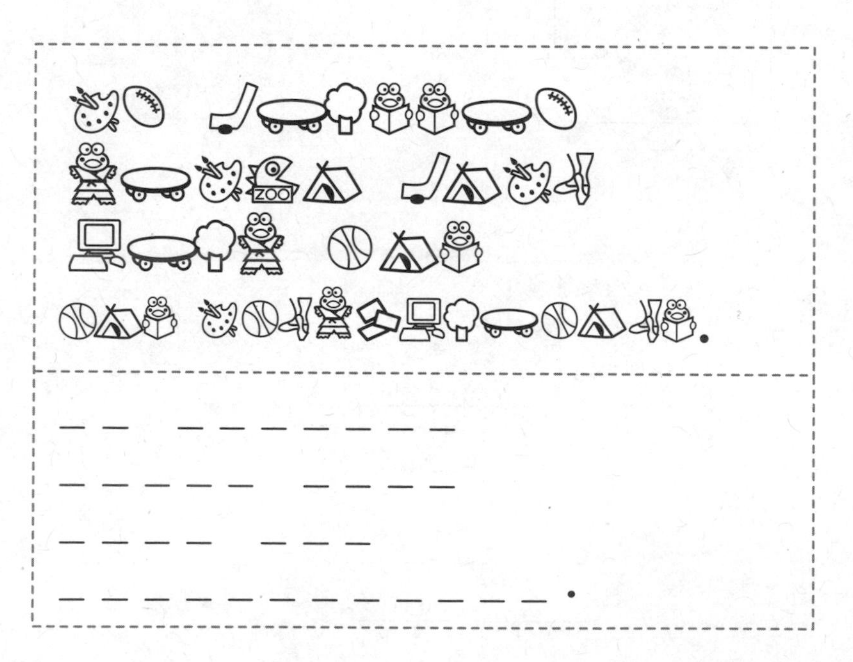

LABYRINTHE

Départ

Arrivée

SUDOKU

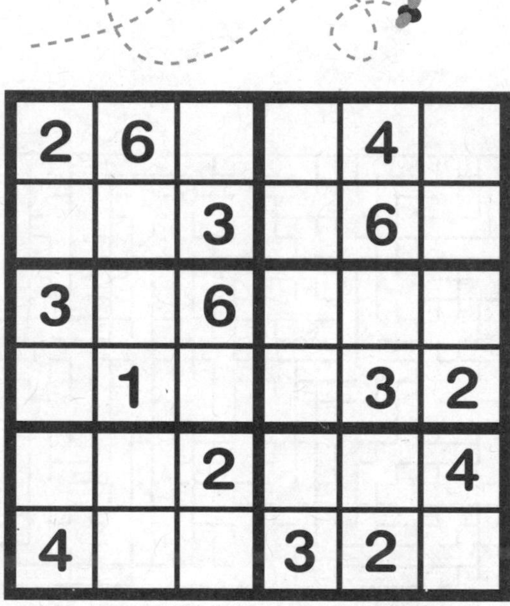

Connais-tu l'organisme?

Quel centre hospitalier a fondé Opération Enfant Soleil?

a. Le Centre hospitalier universitaire de Sherbrooke
b. Le Centre hospitalier de l'Université Laval
c. Le Centre hospitalier universitaire Sainte-Justine

Réponse : b. Le Centre hospitalier de l'Université Laval

LES ENSEMBLES

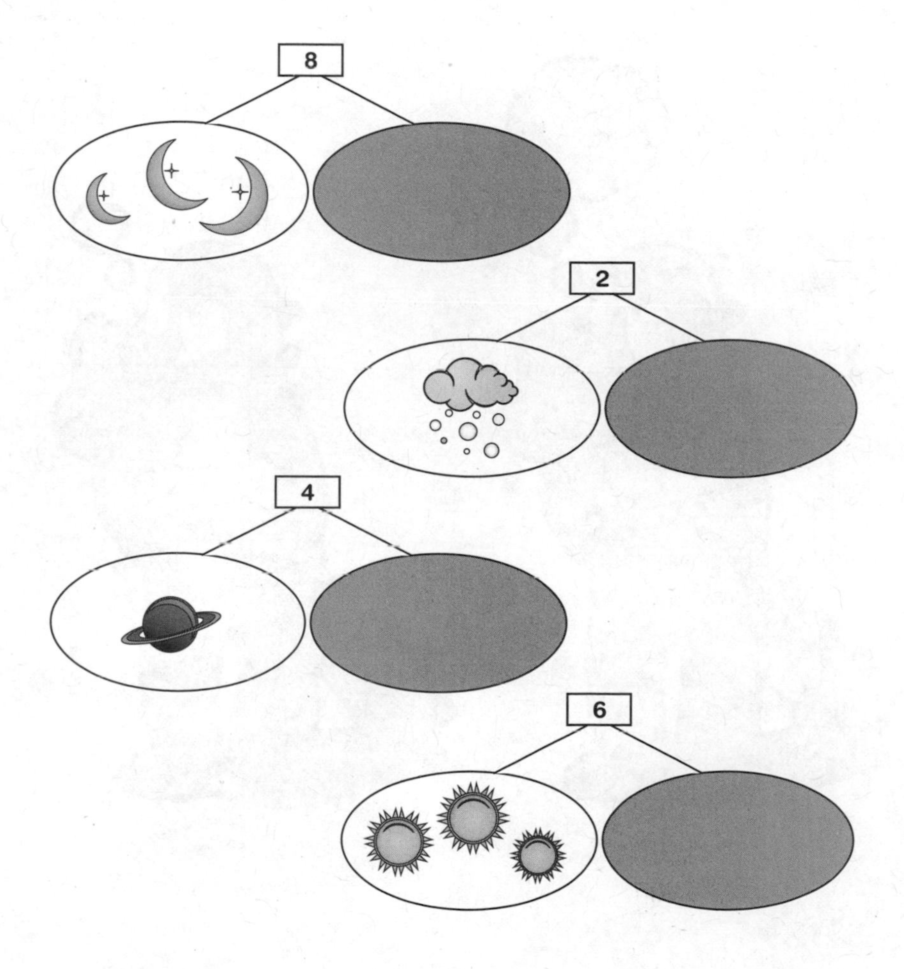

6 ERREURS

Connais-tu l'organisme ?

Sur quel réseau de télévision est diffusé le Téléthon ?

a. TVA
b. Radio-Canada
c. V

Réponse : a. TVA

L'ARTISTE

L'HEURE

SUDOKU DESSINS

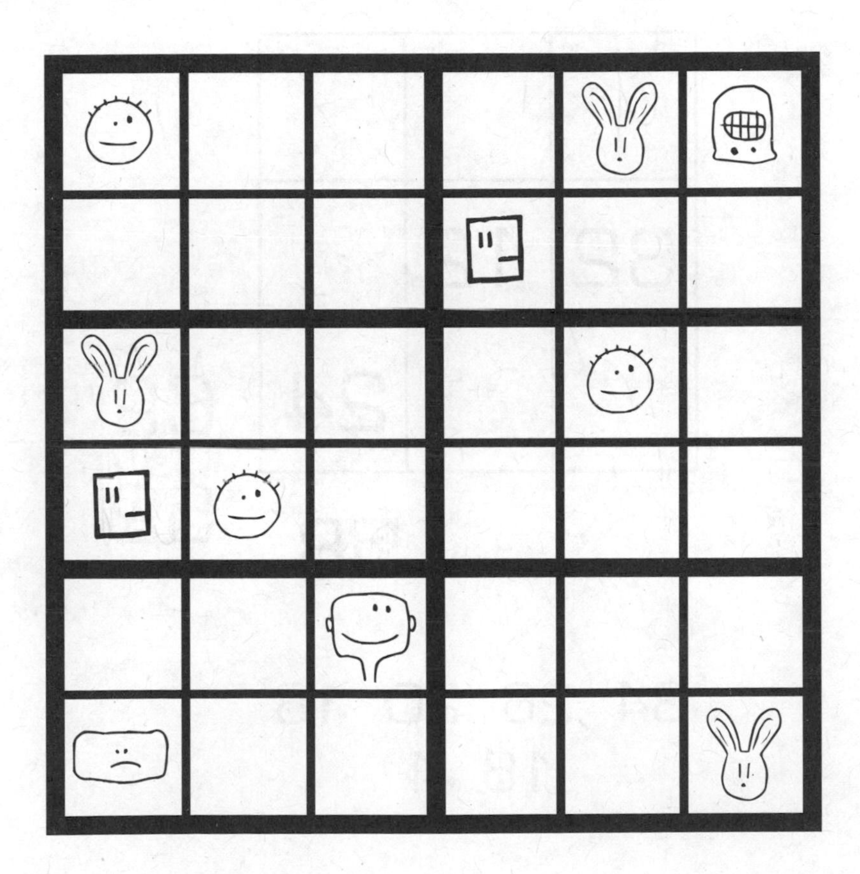

CARRÉ MAGIQUE

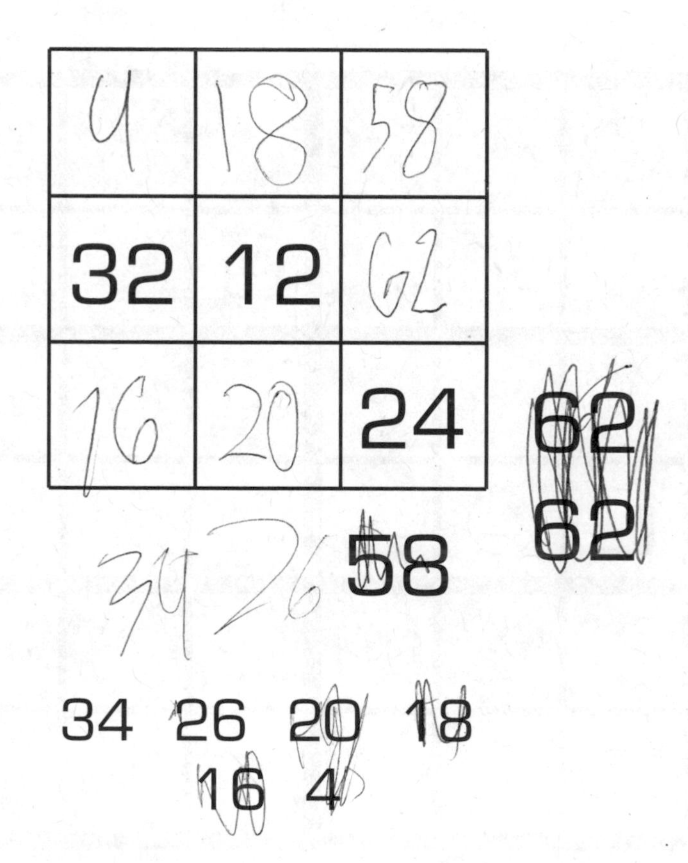

Connais-tu l'organisme ?

Vrai ou faux ? Opération Enfant Soleil œuvre dans l'ensemble du Canada.

Réponse : Faux. Opération Enfant Soleil est un organisme œuvrant au Québec seulement

DESSIN À COLORIER

Connais-tu l'organisme ?

Comment se nomme le concours de chant qui a lieu durant la nuit du Téléthon ?

Réponse : Le Concours Jeunes Espoirs

BINGO

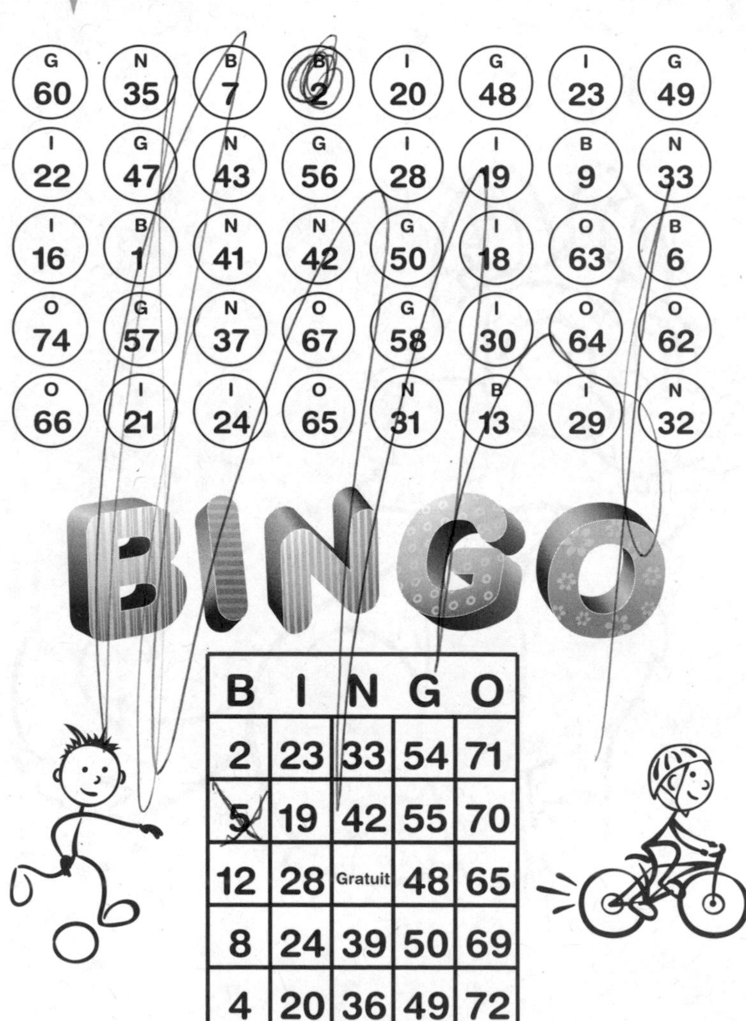

B	I	N	G	O
2	23	33	54	71
5	19	42	55	70
12	28	Gratuit	48	65
8	24	39	50	69
4	20	36	49	72

PARFAITE ORTHOGRAPHE

- ✓ **TORTUE**
- ✗ **TORTHU**
- ✗ **THORTU**

LE DOUBLE

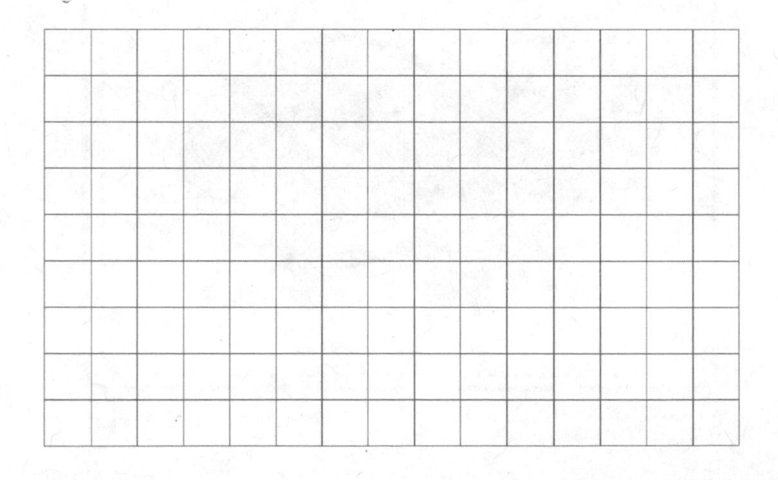

MÉLI-MÉLO

CRAYON

Connais-tu l'organisme?

De 1988 à 2011, quelle somme d'argent a pu être remise par Opération Enfant Soleil aux grands centres pédiatriques, aux centres hospitaliers régionaux ainsi qu'aux organismes de la province?

a. 15 millions
b. Moins de 95 millions
c. Plus de 150 millions

Réponse : c. Plus de 150 millions

SYMÉTRIE

BOURRASQUES DE MOTS

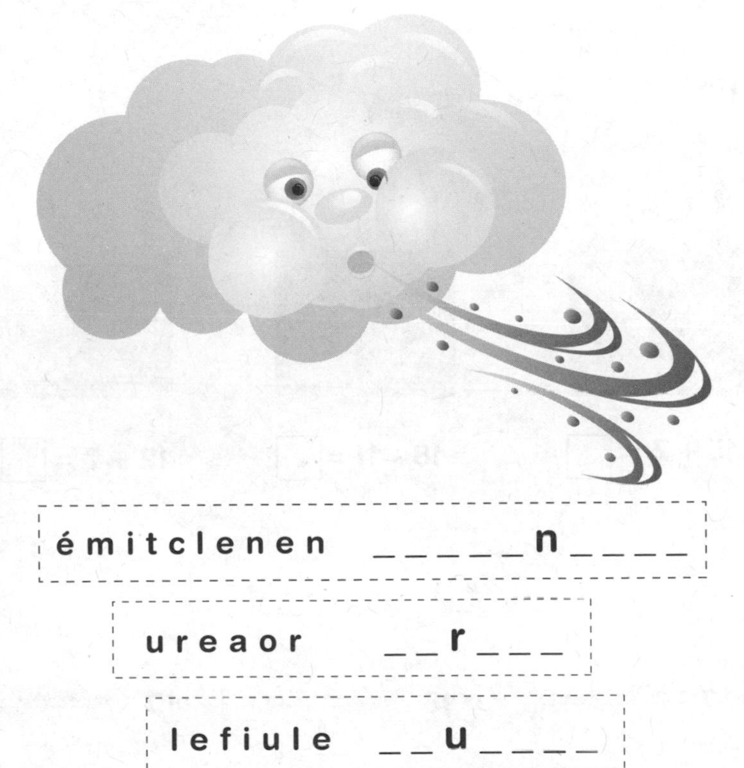

émitclenen _ _ _ _ _ n _ _ _ _

ureaor _ _ r _ _ _

lefiule _ _ u _ _ _ _

ièrlmue _ _ _ _ _ _ e

mauro _ _ _ u _

LE SERRURIER

15 + 7 = ☐ **18 - 11 = ☐** **12 + 7 = ☐**

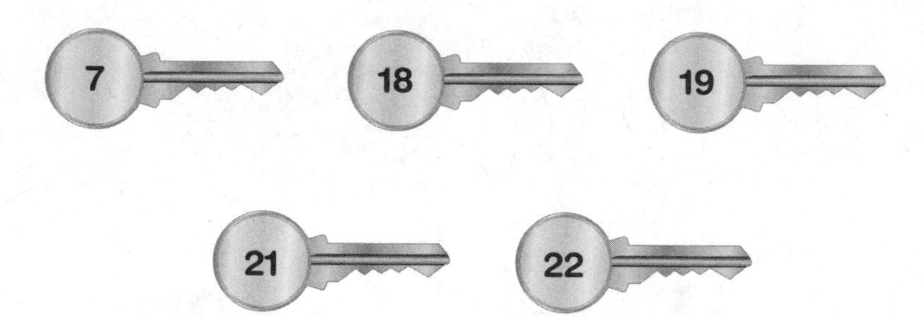

Connais-tu l'organisme ?

Vrai ou faux ? Opération Enfant Soleil est présent sur Facebook.

Réponse : Vrai

LE TRADUCTEUR

PROFESSIONS

Policeman | Chef | Astronaut
Doctor | Photograph | Pilot

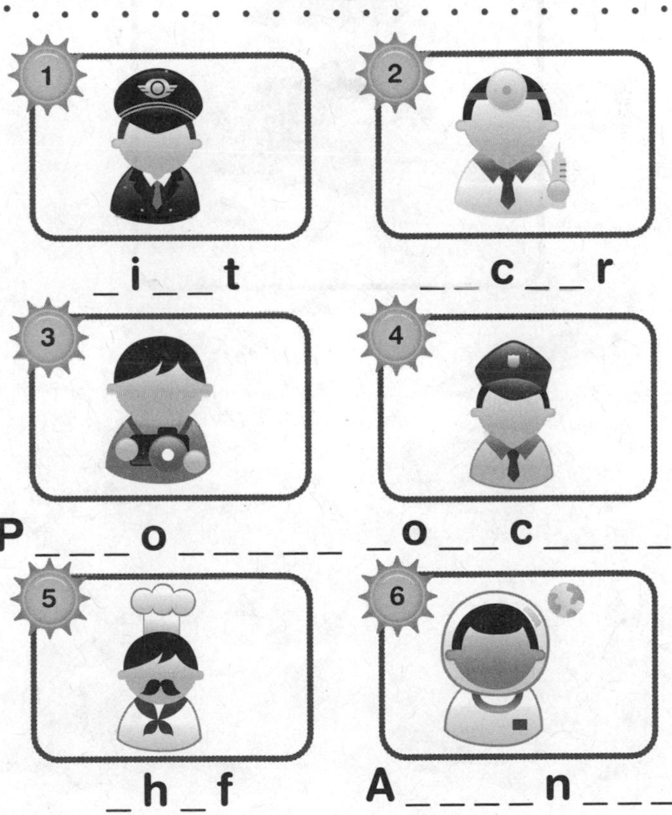

LE JUMEAU

1. 

2. 

3. 

4. 

TORNADES DE LETTRES

MOTS ENTRECROISÉS

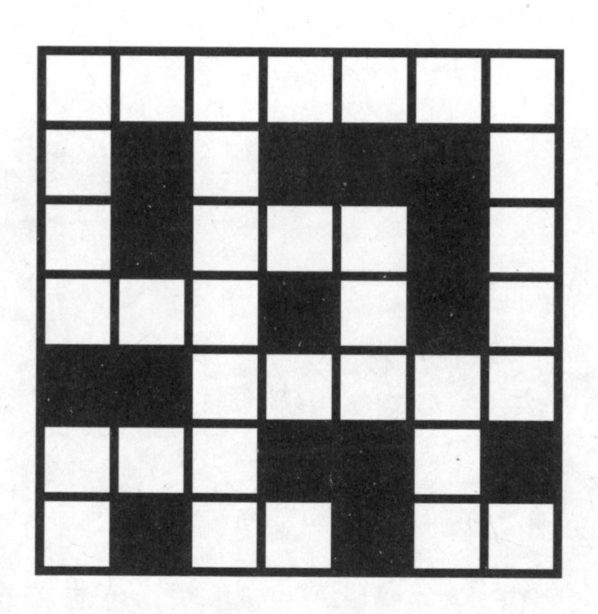

2
Et
Il
Si

3
Gai
Lui
Que
Sec
Sel

4
Cinq

5
Entre
Neige

7
Chemise
Essence

MOT DANS L'OMBRE

1						
2						
3						
4						

Mélange de bleu et de jaune

1 **Qui ne contient rien.**
2 **Parlant d'une femme.**
3 **Fleur romantique.**
4 **Sport de raquette.**

MOTS CACHÉS

V	A	C	H	E	G	E	P	Q
I	R	M	A	O	R	E	O	X
G	U	O	N	R	N	C	U	F
R	E	U	E	A	D	A	L	O
A	T	T	C	R	M	S	E	U
N	V	O	A	I	C	I	F	R
G	E	N	N	U	T	L	O	C
E	A	A	O	E	G	O	I	H
C	U	B	O	I	E	E	N	E

Âne
Animaux
Auge
Bouc
Canard
Cane
Coq
Foin
Fourche
Grange
Mouton
Oie
Poule
Silo
Terre
Vache
Veau

Mot de 9 lettres :

____

POINT EN POINT

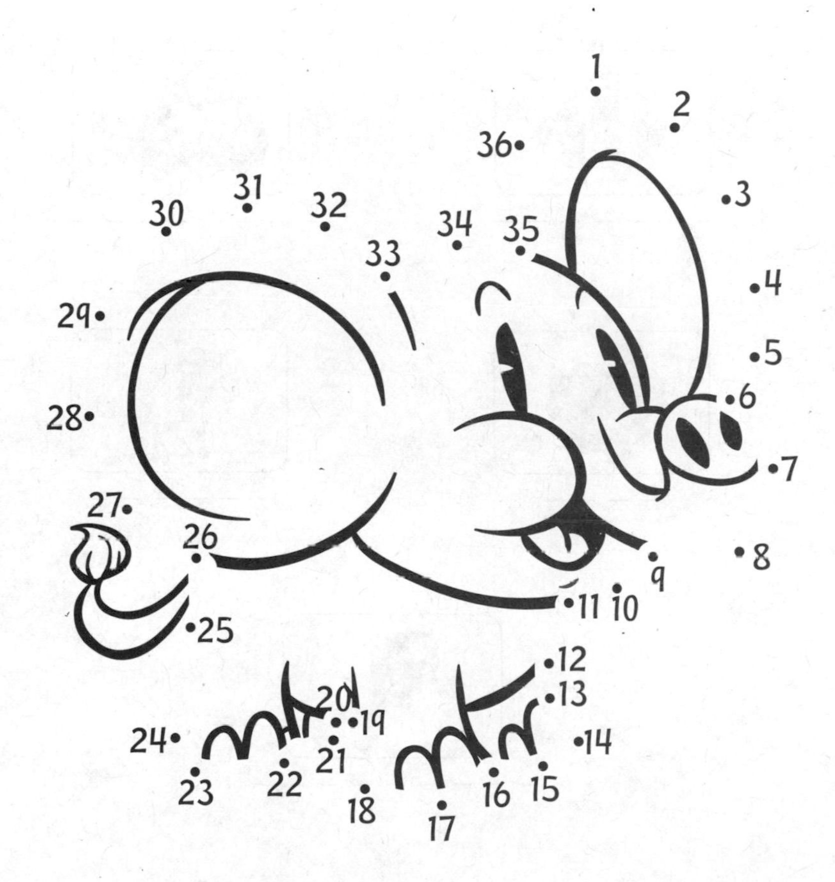

Connais-tu l'organisme ?

Vrai ou faux ? Opération Enfant Soleil finance l'achat d'équipements dans les centres hospitaliers en région ?

Réponse : Vrai

MOTS À DÉCOUVRIR

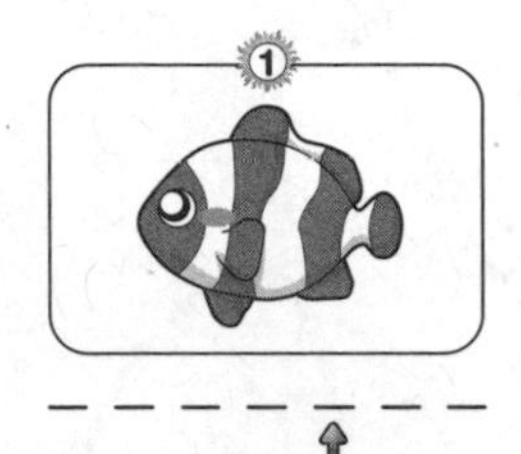

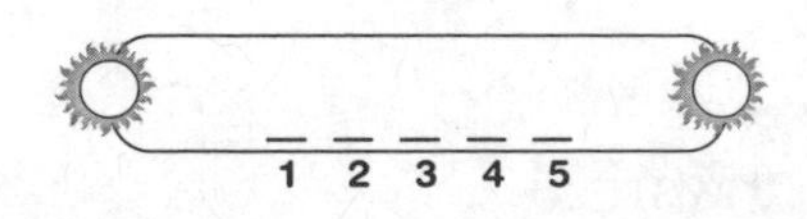

CODE SECRET

=A =B =C =D =E =F

=G =H =I =J =K =L

=M =N =O =P =Q =R

=S =T =U =V =W =X

=Y =Z

.

_ _ _ _ _ _ _ _ _ _ _ _ _ _ _ _ _

_ _ _ _ _ _ _ _ _ _ _ _ _ _ _ _ _ _ _

_ _ _ _ _ _ _ _ _ _ _ .

LABYRINTHE

Départ

Arrivée

SUDOKU

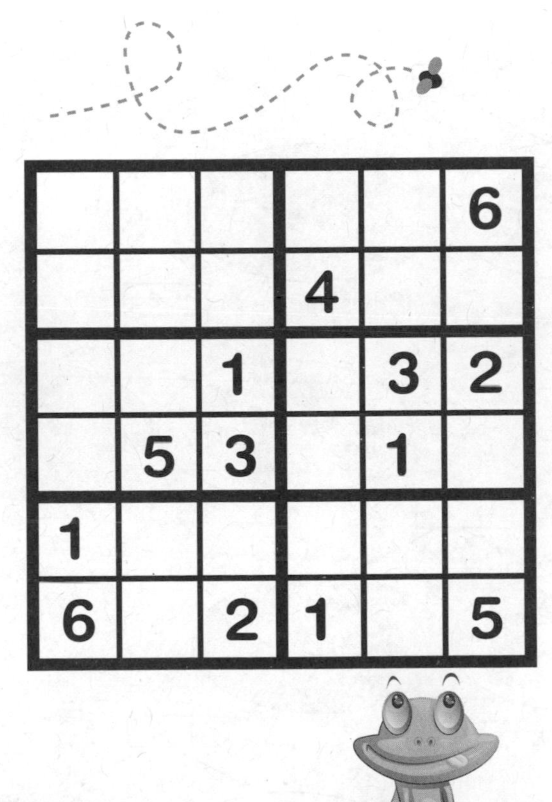

					6
			4		
		1		3	2
	5	3		1	
1					
6		2	1		5

Connais-tu l'organisme ?

Vrai ou faux ? Opération Enfant Soleil finance la recherche sur le cancer ?

Réponse : Faux

LES ENSEMBLES

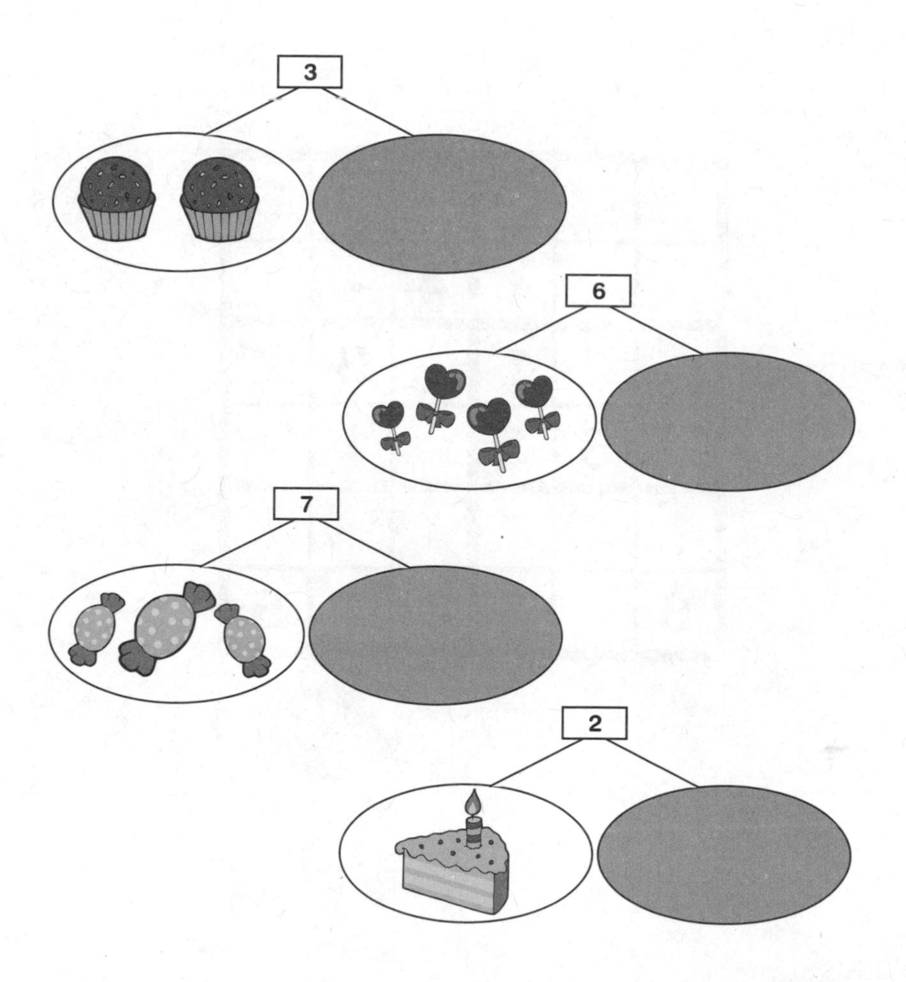

6 ERREURS

Connais-tu l'organisme?

Quel partenaire d'Opération Enfant Soleil présente le Concours Jeunes Espoirs ?

a. Desjardins
b. TELUS
c. RE/MAX

Réponse : a. Desjardins

L'ARTISTE

L'HEURE

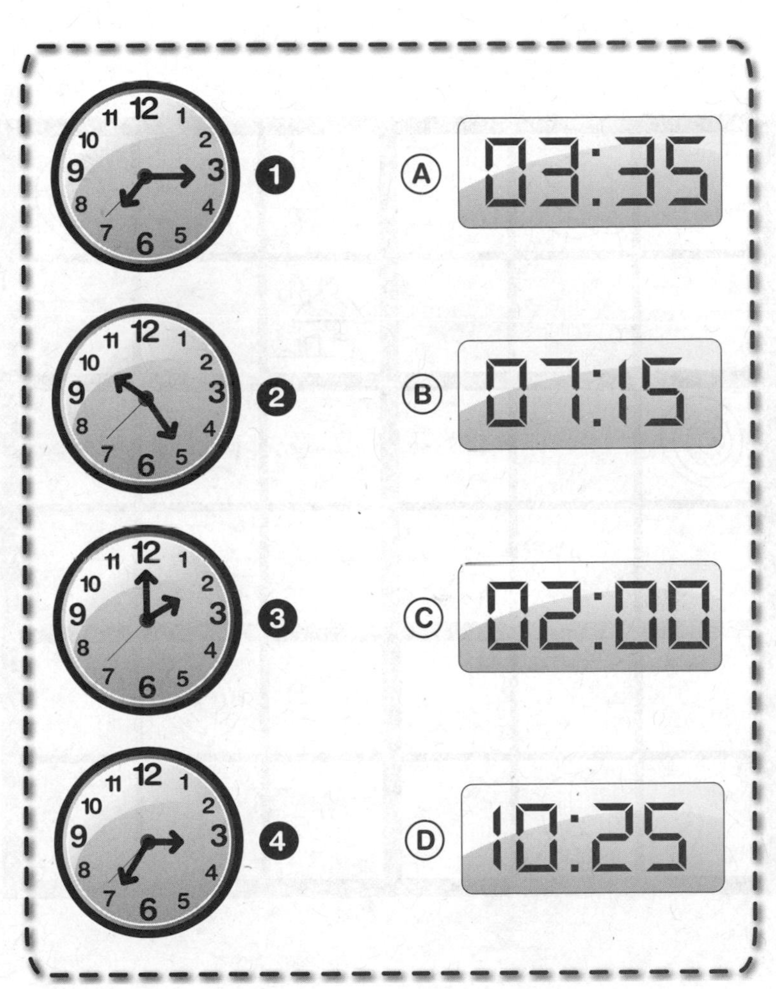

SUDOKU DESSINS

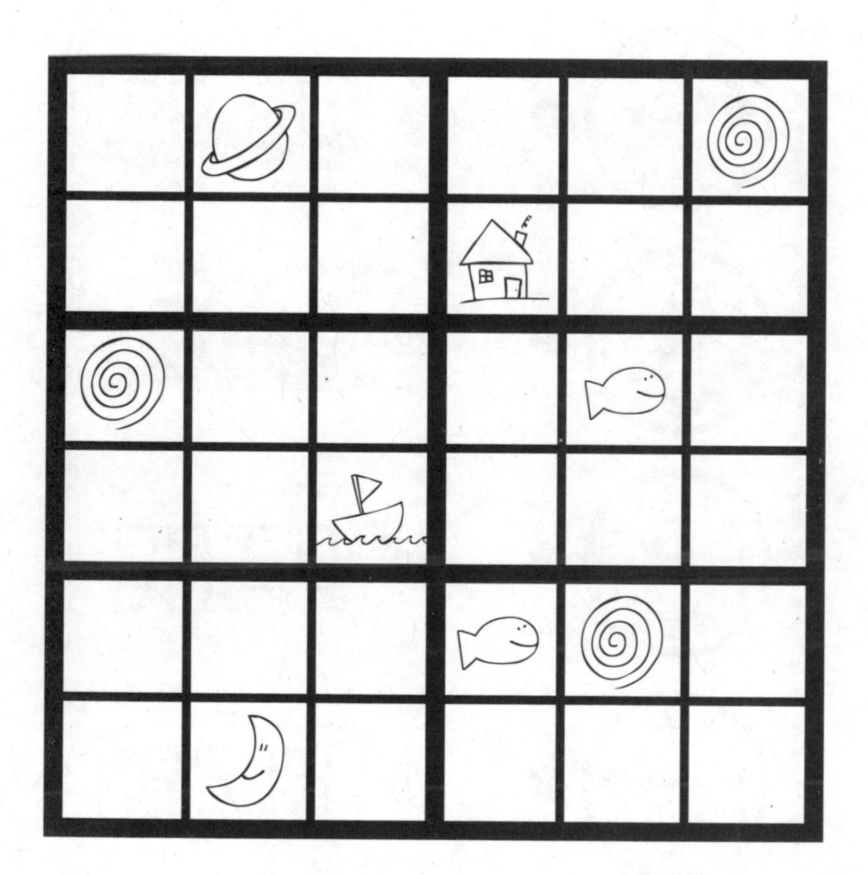

CARRÉ MAGIQUE

31		
21		
		16

64

64

64

36 26 22 17

12 11

Connais-tu l'organisme ?

À quels grands centres pédiatriques de la région de Montréal Opération Enfant Soleil remet-il des dons chaque année ?

Réponse : Le Centre hospitalier universitaire Sainte-Justine de Montréal et l'Hôpital de Montréal pour enfants du Centre universitaire de santé McGill

DESSIN À COLORIER

Connais-tu l'organisme ?

Combien y a-t-il de centres d'appels lors du Téléthon ?

a. 70
b. 40
c. 100

Réponse : a. 70

BINGO

G 57	B 5	I 17	N 41	I 26	N 38	N 31	O 61
O 72	I 23	O 69	G 47	O 66	G 56	B 4	B 3
G 54	N 36	B 1	O 70	O 73	B 15	B 12	G 53
N 37	N 39	I 18	G 58	N 35	B 11	I 28	B 2
N 33	G 51	I 27	G 55	G 52	I 20	I 25	O 63

B	I	N	G	O
14	27	43	49	72
5	28	36	56	64
3	22	Gratuit	58	70
8	20	34	46	73
2	18	32	59	71

PARFAITE ORTHOGRAPHE

○ **ENCRE**

○ **HANCRE**

○ **ANCRE**

LE DOUBLE

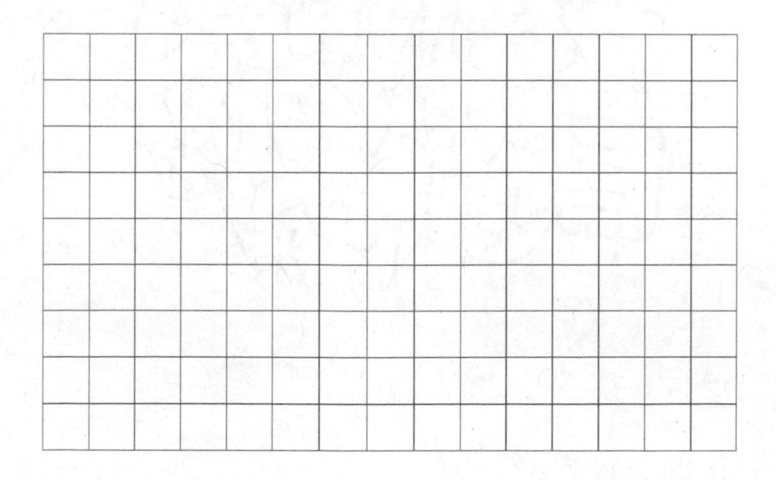

MÉLI-MÉLO

GAZON

Connais-tu l'organisme ?

À quel grand centre pédiatrique de Québec Opération Enfant Soleil remet-il des dons chaque année ?

Réponse : Le Centre mère-enfant du Centre hospitalier universitaire de Québec

SYMÉTRIE

BOURRASQUES DE MOTS

ujteos _ o _ _ _ _

luceousr c _ _ _ _ _ _ _

nuamixa _ _ i _ _ _ _

dflauro _ _ _ _ a _ _

maiéti _ _ i _ _ _

LE SERRURIER

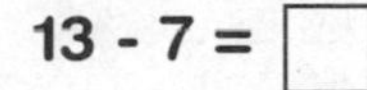

18 - 3 = ☐

4 + 9 = ☐

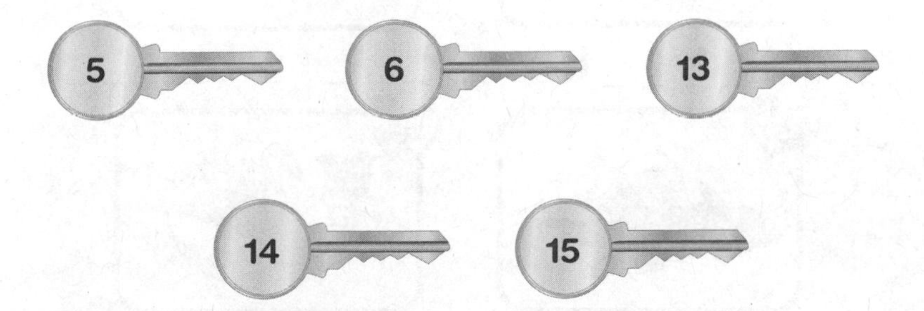

Connais-tu l'organisme?

Vrai ou faux? Un sondage Omnibus réalisé par la firme SOM au printemps 2010 confirme qu'Opération Enfant Soleil est le premier choix des Québécois en matière de philanthropie.

Réponse : Vrai

LE TRADUCTEUR

UNDER THE SEA

Shark	Whale	Sea turtle
Dolphin	Octopus	Swordfish

1

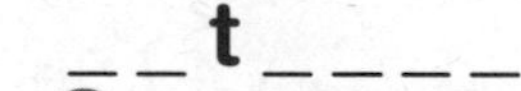

_ _ t _ _ _ _

2

D _ _ p _ _ _

3

_ h _ _ k

4

_ _ _ r _ f _ _ _

5

_ e _ _ u _ _ _ _

6

_ h _ _ e

LE JUMEAU

1.

2.

3.

4.

TORNADES DE LETTRES

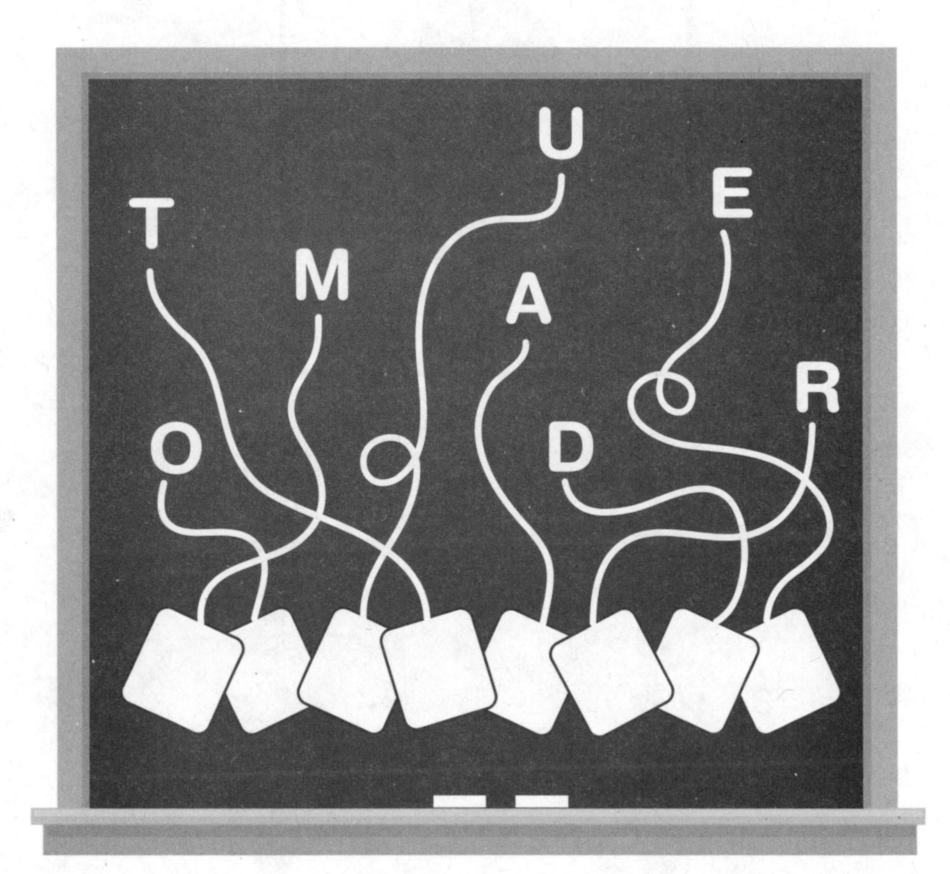

MOTS ENTRECROISÉS

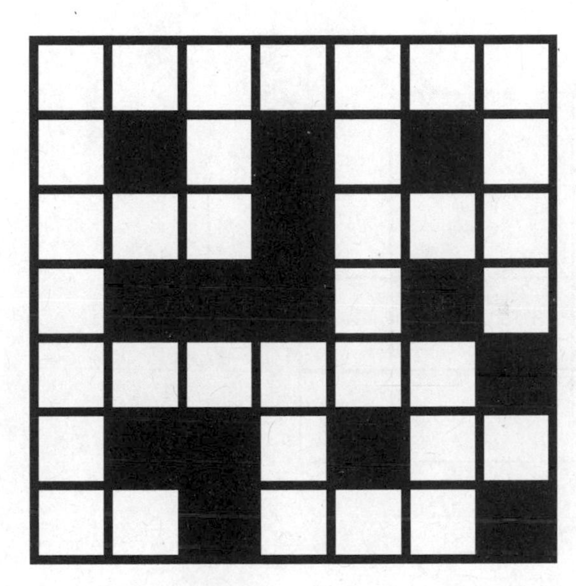

2
Et
Os

3
Air
Lui
Oie
Roi
Sel
Vie

4
Rire

5
Image

6
Amuser

7
Février
Fromage

MOT DANS L'OMBRE

1					
2					
3					
4					

Nouveau, récent

1 Maison des oiseaux.
2 Souci, problème.
3 Joindre, lier, souder.
4 Ce que l'on va voir au cinéma.

MOTS CACHÉS

P	G	A	R	E	C	M	T	V
N	V	O	I	E	O	E	E	O
E	T	R	A	I	N	T	R	I
U	I	O	U	B	E	R	M	V
A	L	U	T	A	R	O	I	O
V	E	T	O	G	A	V	N	Y
I	A	E	B	A	I	E	A	A
O	U	I	U	G	L	L	L	G
N	E	R	S	E	R	O	U	E

Air
Autobus
Avion
Bagage
Cône
Eau

Gare
Métro
Pneu
Rail
Roue
Route

Terminal
Train
Vélo
Voie
Voyage

Mot de 7 lettres :

____

POINT EN POINT

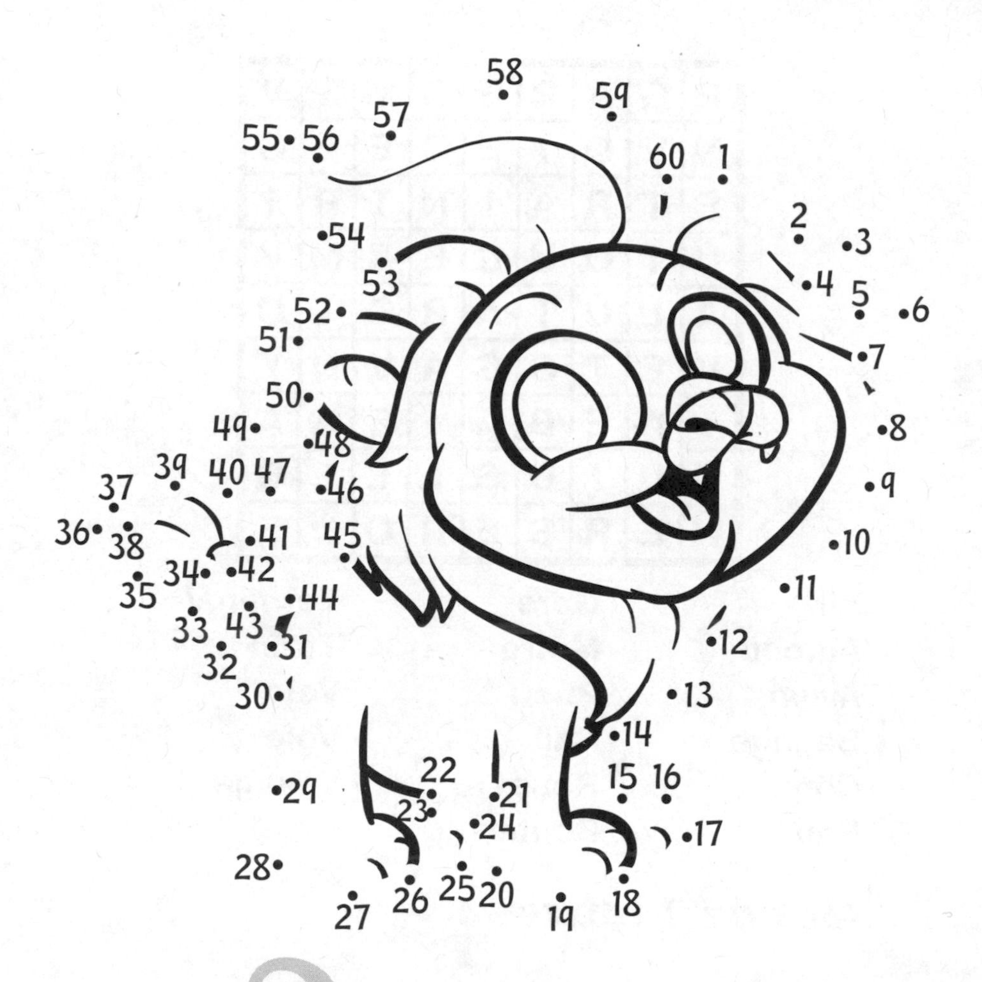

Connais-tu l'organisme ?

À quel grand centre pédiatrique de la région de Sherbrooke Opération Enfant Soleil remet-il des dons chaque année ?

Réponse : Le Centre hospitalier universitaire de Sherbrooke

MOTS À DÉCOUVRIR

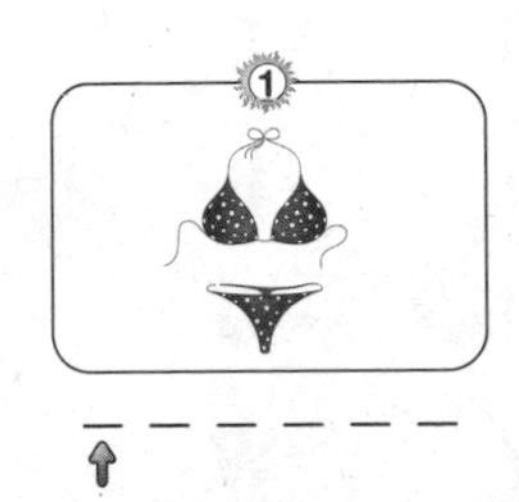

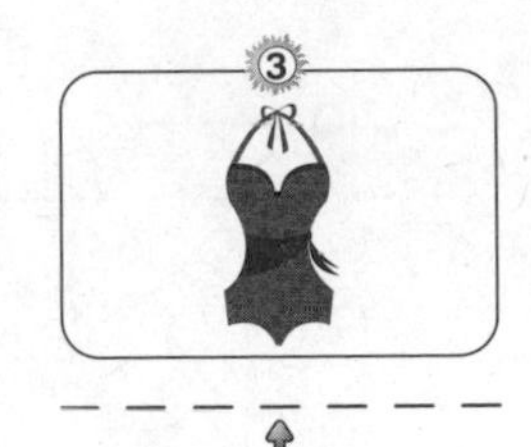

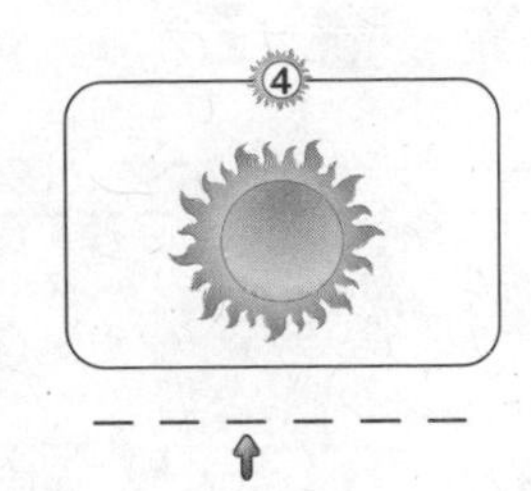

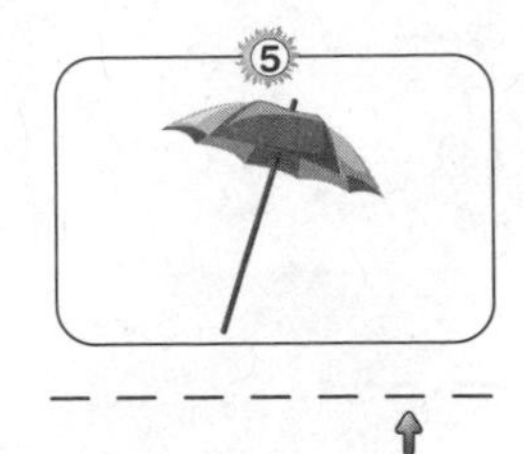

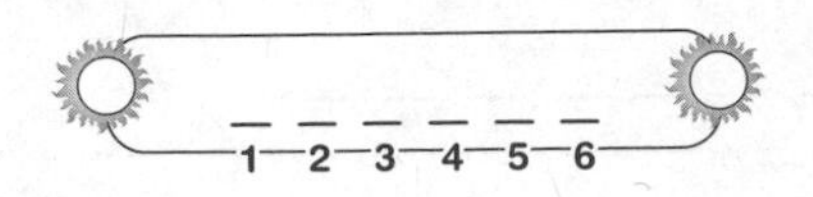

CODE SECRET

=A =B =C =D =E =F

=G =H =I =J =K =L

=M =N =O =P =Q =R

=S =T =U =V =W =X

=Y =Z

é .

_ _ _ _ _ _ _ _ _ _ _ _ _

_ _ _ _ _ _ _ _ _ _

_ _ _ _ _ _ _ _ _ _ _ _

_ _ é _ _ _ _ _ _ _ _ _ _ .

LABYRINTHE

Départ

Arrivée

SUDOKU

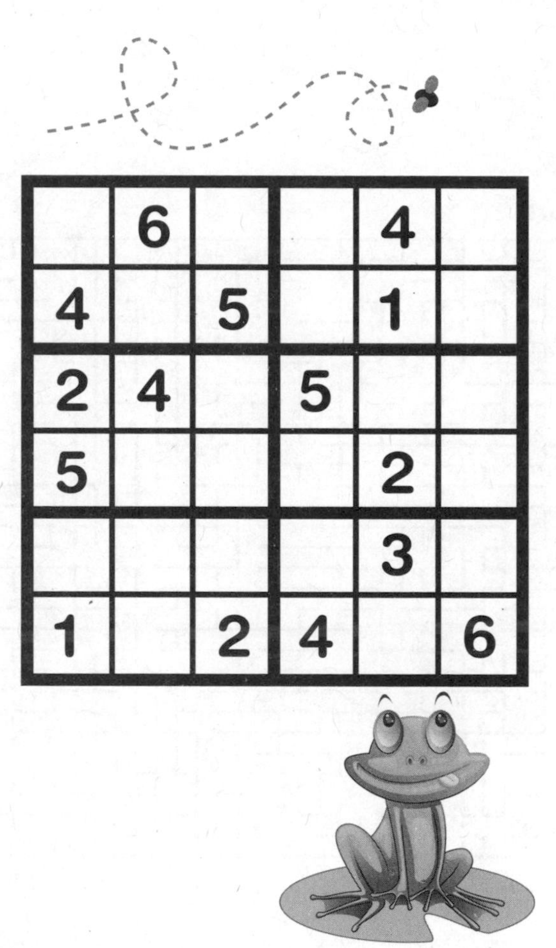

	6			4	
4		5		1	
2	4		5		
5				2	
				3	
1		2	4		6

Connais-tu l'organisme ?

Un des deux fonds gérés par Opération Enfant Soleil porte le nom de l'une des animatrices actuelles de l'organisme. De qui s'agit-il ?

a. Annie Brocoli
b. Josée Lavigueur
c. Anick Dumontet

Réponse : b. Josée Lavigueur

LES ENSEMBLES

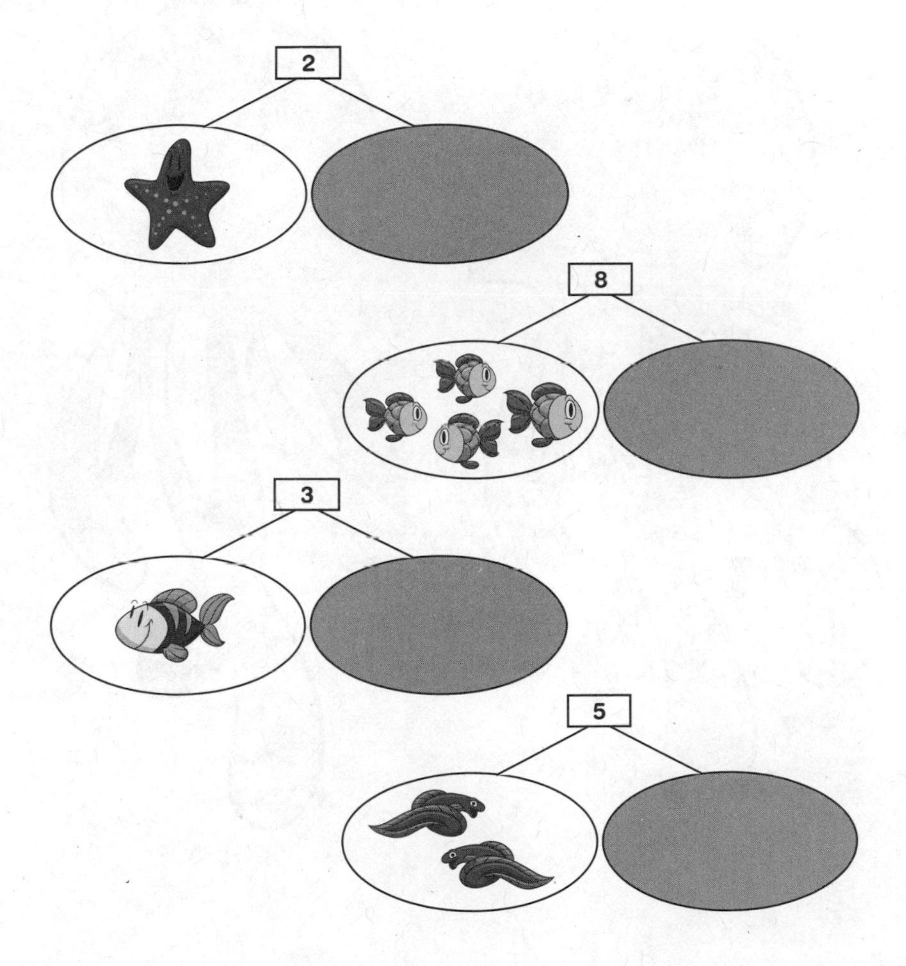

6 ERREURS

Connais-tu l'organisme?

Pendant le Téléthon, combien de personnes viennent remettre leur don en direct?

a. Entre 500 et 900 personnes
b. Entre 900 et 1 000 personnes
c. Entre 3000 et 4000 personnes

Réponse : b. Entre 900 et 1 000 personnes

L'ARTISTE

L'HEURE

SUDOKU DESSINS

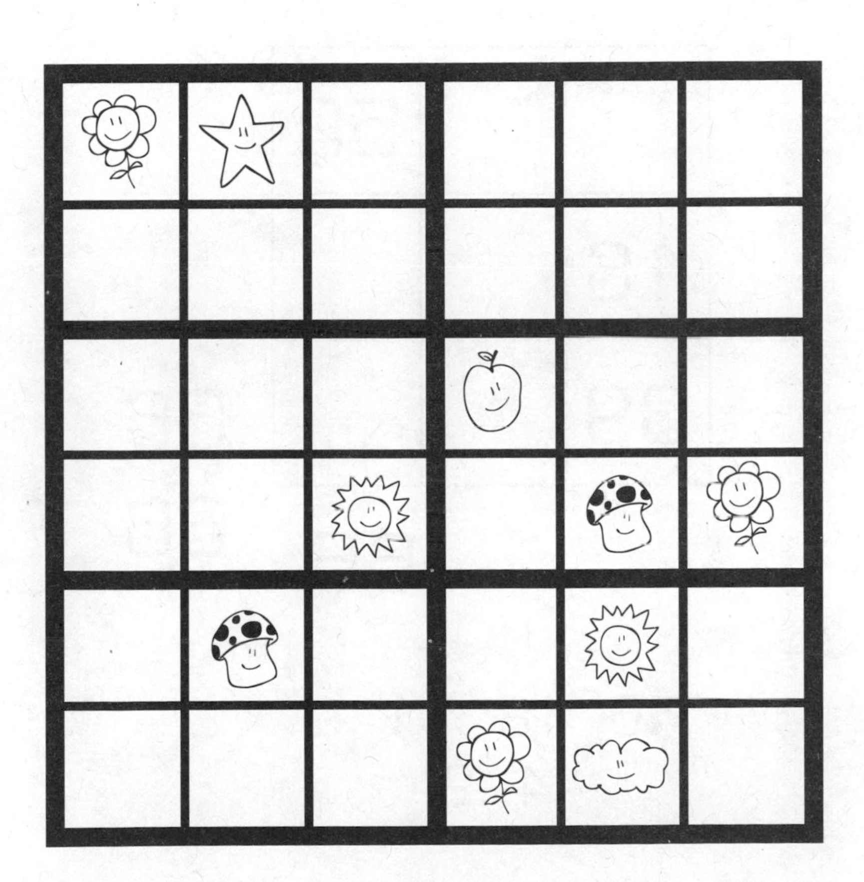

CARRÉ MAGIQUE

		53
16		
39		

66

66

66

46 18 11 9
4 2

Connais-tu l'organisme?

Vrai ou faux ? Le Fonds Josée Lavigueur vise à promouvoir l'activité physique.

Réponse : Vrai. Ce fonds est axé sur la mise en forme et la prévention de la maladie chez les enfants et les jeunes grâce à l'activité physique

DESSIN À COLORIER

Connais-tu l'organisme ?

Lors du Téléthon, combien y-a-t-il de remises de dons qui ont lieu en direct ?

a. 112
b. 187
c. 240

Réponse : c. 240

BINGO

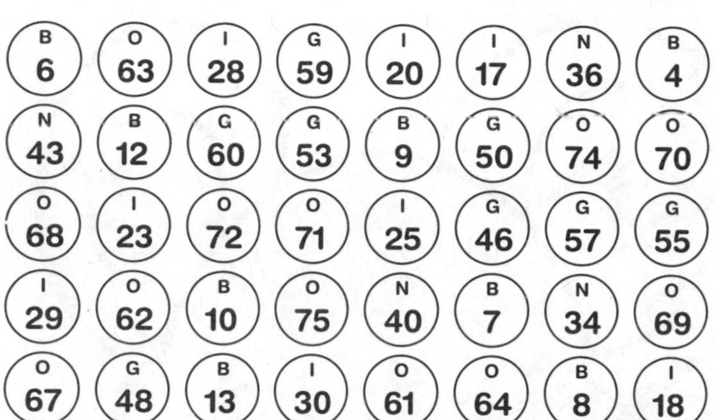

B	I	N	G	O
5	23	41	59	72
12	21	31	58	67
4	29	Gratuit	54	74
7	27	36	60	69
3	16	37	55	75

PARFAITE ORTHOGRAPHE

○ **CHATPEAU**

○ **CHAPO**

○ **CHAPEAU**

LE DOUBLE

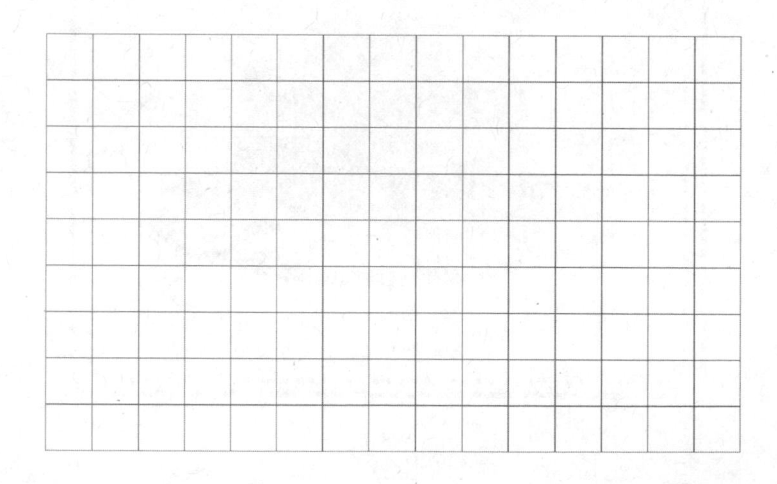

MÉLI-MÉLO

FAMILLE

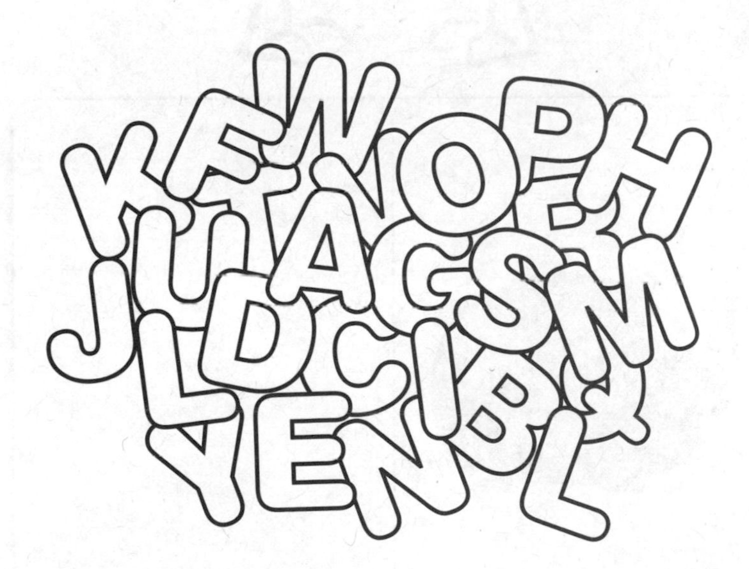

Connais-tu l'organisme ?

Quel fonds géré par Opération Enfant Soleil a été créé en l'honneur d'une ancienne animatrice de l'organisme ?

a. Fonds Patricia Paquin
b. Fonds Élise Marquis
c. Fonds Marie-Soleil Tougas

Réponse : c. Fonds Marie-Soleil Tougas

SYMÉTRIE

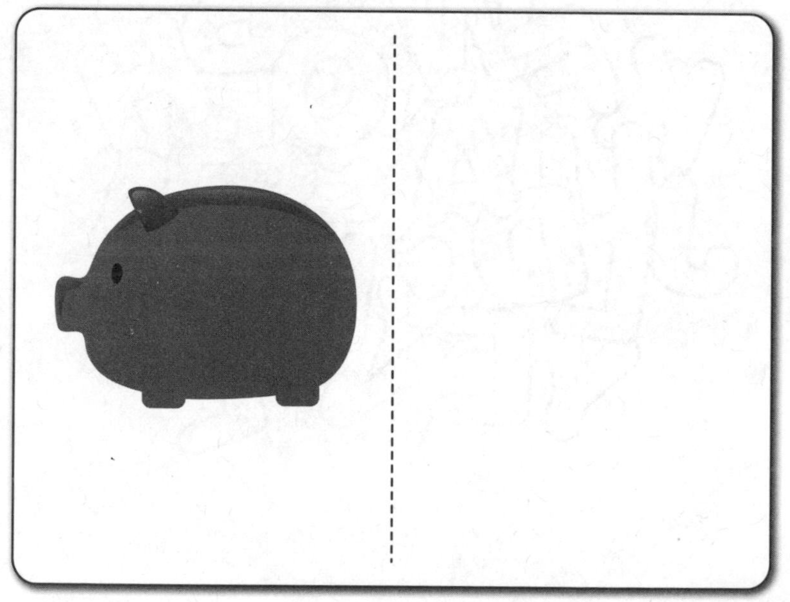

BOURRASQUES DE MOTS

â u a t g e	_ _ _ e _ _
o e t c r n	c _ _ _ _ _
l é c p e s i	_ _ _ i _ _ _
l n e p t a	_ l _ _ _ _
é t r i m e	m _ _ _ _ _

LE SERRURIER

19 - 17 = ☐ 3 + 8 = ☐ 14 + 4 = ☐

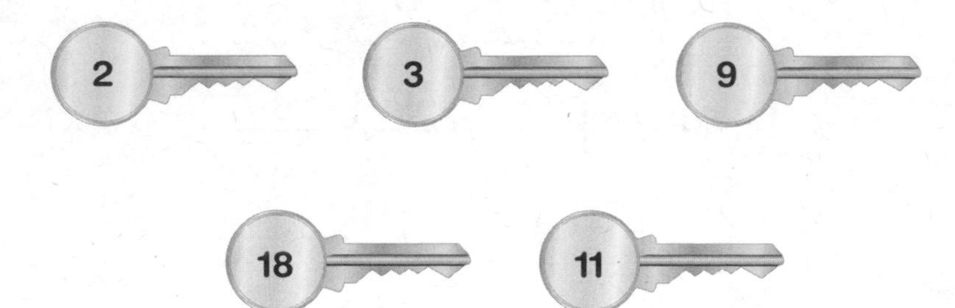

Connais-tu l'organisme?

Vrai ou faux ? Opération Enfant Soleil est présent sur Twitter ?

Réponse : Vrai (@EnfantSoleil)

LE TRADUCTEUR

PAINTING

Palette	Tube	Pencil
Brushes	Frame	Easel

LE JUMEAU

1.

2.

3.

4.

TORNADES DE LETTRES

MOTS ENTRECROISÉS

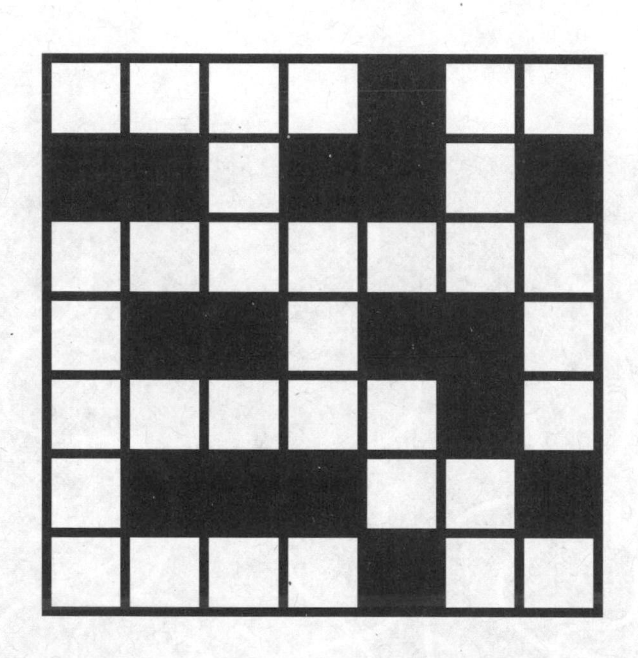

2
Ce
Et
Os
Se
Te

3
Cou
Est
Été
Ici

4
Elle
Quel

5
Ferme
Radio

7
Fatigué

MOT DANS L'OMBRE

1						
2						
3						
4						

Produit de la poule

1 **Organe de la vue.**
2 **Passer du dehors au dedans.**
3 **Qui est vraiment pressant.**
4 **Le contraire de garçon.**

MOTS CACHÉS

F	E	U	I	L	L	E	H	E
L	T	B	S	O	L	E	I	L
O	U	O	S	E	G	U	V	S
C	Q	U	G	A	L	R	E	A
O	U	I	L	P	I	G	R	B
N	E	P	A	R	A	S	O	L
N	E	R	O	N	E	S	O	E
M	A	R	M	O	T	T	E	N
P	R	I	N	T	E	M	P	S

Été
Feuille
Flocon
Hiver
Marmotte
Neige
Parapluie
Parasol
Plage
Printemps
Sable
Saison
Soleil
Tuque

Mot de 9 lettres :

____

POINT EN POINT

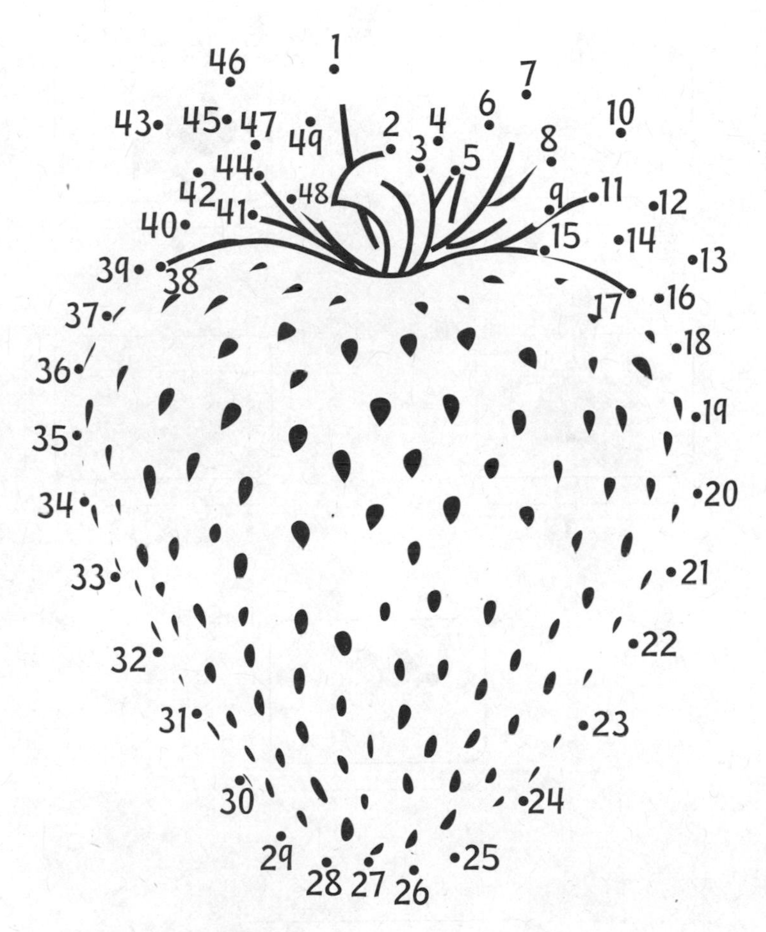

Connais-tu l'organisme ?

Vrai ou faux ? Le Fonds Marie-Soleil Tougas est dédié à la santé mentale des jeunes.

Réponse : Vrai. Ce fonds permet de soutenir des projets d'aide auprès de jeunes vivant des situations difficiles

MOTS À DÉCOUVRIR

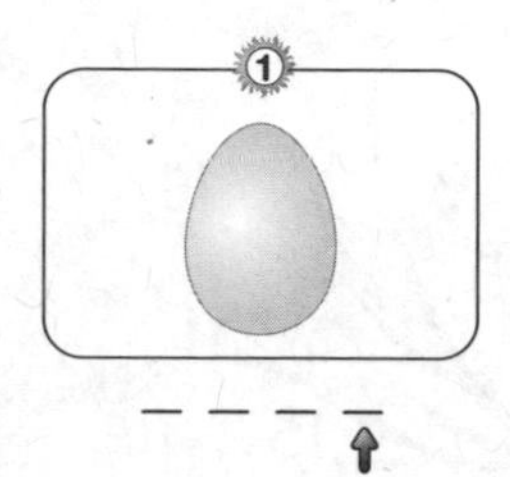

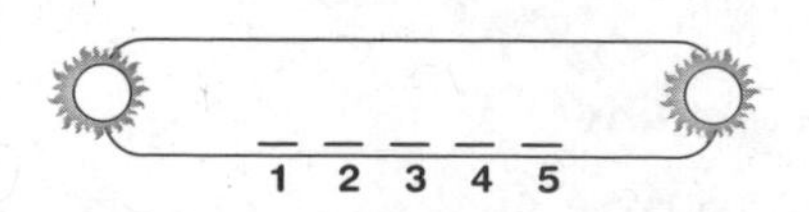

CODE SECRET

= A   = B   = C   = D   = E   = F

= G   = H   = I   = J   = K   = L

= M   = N   = O   = P   = Q   = R

= S   = T   = U   = V   = W   = X

= Y   = Z

é .

_ _   _ _ _ _ _   _ _ _   _ _

_ _ _ _   _ _ _ _ _ _ _

_ _ _ _ _ _ _ _ _   _ _ _

_ é _ _ _ _ _ _ _ _ .

LABYRINTHE

Départ

Arrivée

SUDOKU

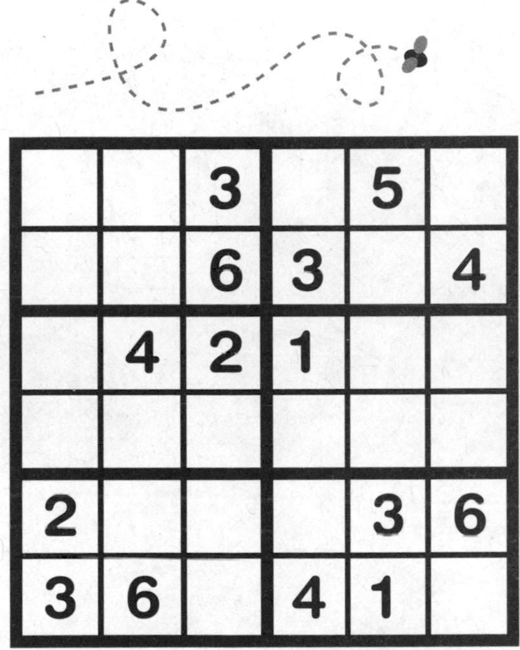

		3		5	
		6	3		4
	4	2	1		
2				3	6
3	6		4	1	

Connais-tu l'organisme?

Chaque année, l'équipe d'Opération Enfant Soleil, accompagnée d'animateurs du téléthon, parcourt le Québec lors de la tournée provinciale. Quelle en est la raison ?

a. Remettre les dons amassés durant l'année aux centres hospitaliers et aux organismes
b. Rencontrer les enfants hospitalisés
c. Rencontrer les partenaires qui appuient la cause
d. Rencontrer les Enfants Soleil
e. Toutes ces réponses

Réponse : e. Toutes ces réponses

LES ENSEMBLES

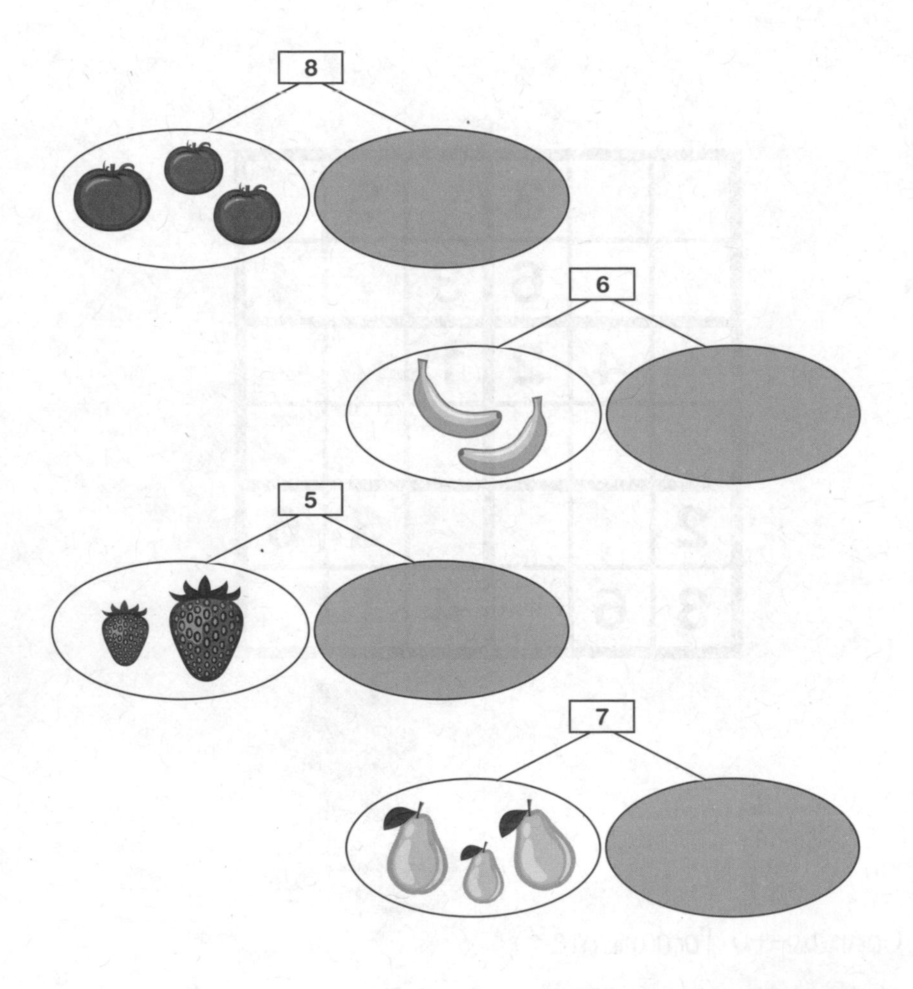

6 ERREURS

Connais-tu l'organisme ?

Combien y a-t-il de bénévoles qui travaillent dans les centres d'appel du Téléthon ?

a. 1 500 bénévoles
b. 1 000 bénévoles
c. 500 bénévoles

Réponse : a. 1 500 bénévoles

L'ARTISTE

L'HEURE

SUDOKU DESSINS

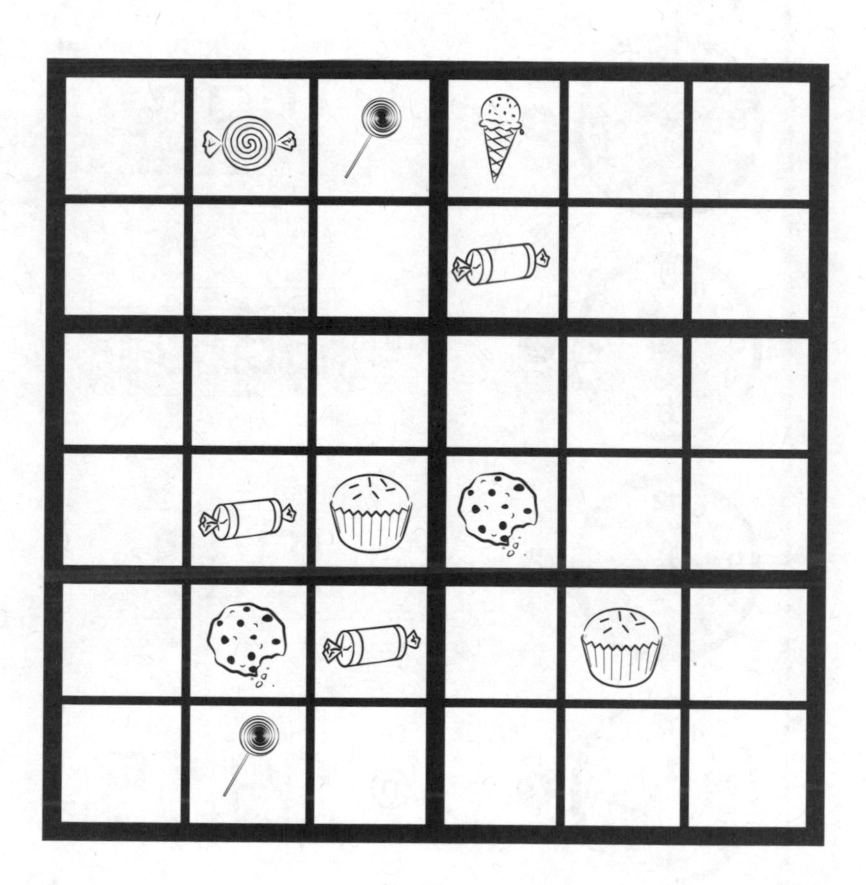

CARRÉ MAGIQUE

	17	
	22	34

68

68

68

39 29 22 17
12 12

Connais-tu l'organisme ?

Lors de la tournée provinciale de remise des dons aux centres hospitaliers, combien de kilomètres l'équipe effectue-t-elle en voiture ?

a. Près de 5 000 km
b. Plus de 6 500 km
c. Moins de 2 000 km

Réponse : b. Plus de 6 500 km

DESSIN À COLORIER

Connais-tu l'organisme ?

Au mois de juin 2012, à quelle édition du Téléthon Opération Enfant Soleil sera-t-il rendu ?

a. 20e
b. 25e
c. 10e

Réponse : b. 25e

BINGO

B 5	B 3	I 16	G 52	G 56	G 49	I 30	N 43
O 68	N 36	N 42	G 54	O 67	I 29	B 12	O 75
N 34	I 22	I 27	G 46	O 71	I 20	O 72	B 1
B 4	N 32	B 2	N 37	B 9	G 57	N 35	O 63
G 55	B 15	N 38	G 48	I 25	N 41	N 45	G 58

B	I	N	G	O
6	25	33	59	65
3	27	32	54	75
10	22	Gratuit	47	61
4	24	39	60	72
14	23	40	55	70

PARFAITE ORTHOGRAPHE

○ **PHARE**

○ **FARE**

○ **FARRE**

LE DOUBLE

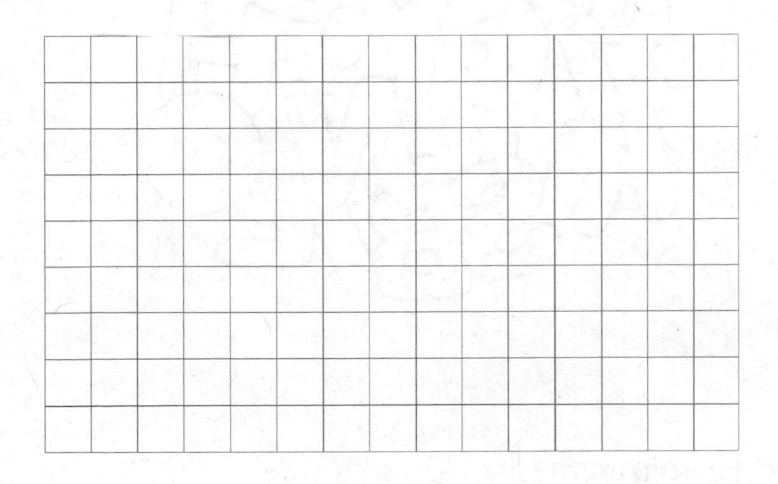

MÉLI-MÉLO

DRAGON

Connais-tu l'organisme?

Combien d'organismes et de centres hospitaliers régionaux Opération Enfant Soleil soutient-il par année?

a. Moins de 50
b. Près de 75
c. Plus de 90

Réponse : c. Plus de 90

SYMÉTRIE

BOURRASQUES DE MOTS

é n c a o   _ _ é _ _

o t c u n e n r   _ _ _ t _ _ _ _

h v i e l a c e r   _ _ _ _ _ l _ _ _

f a l e a r   r _ _ _ _ _

r s i m e p t n p   _ _ _ _ t _ _ _ _

LE SERRURIER

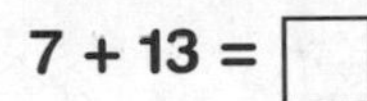

7 + 8 = ☐

17 - 5 = ☐

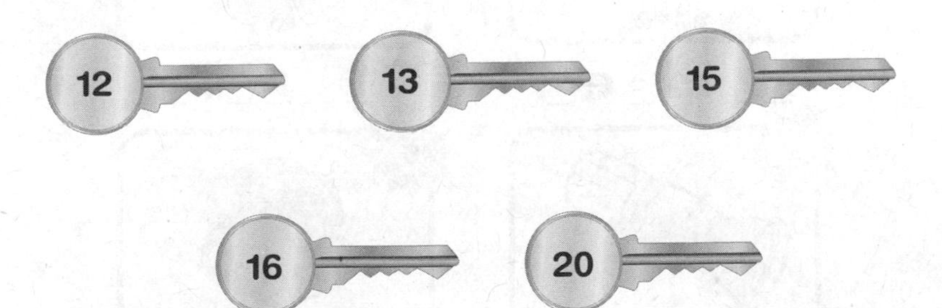

Connais-tu l'organisme?

Vrai ou faux? Opération Enfant Soleil est présent sur YouTube?

Réponse : Vrai (chaîne de enfantsoleil)

LE TRADUCTEUR

CAMPING

Campfire	Tent	Camper
Flashlight	Sleeping bag	Backpack

1

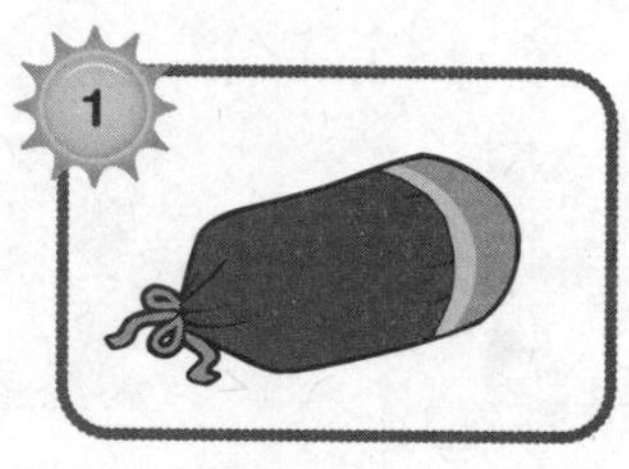

2

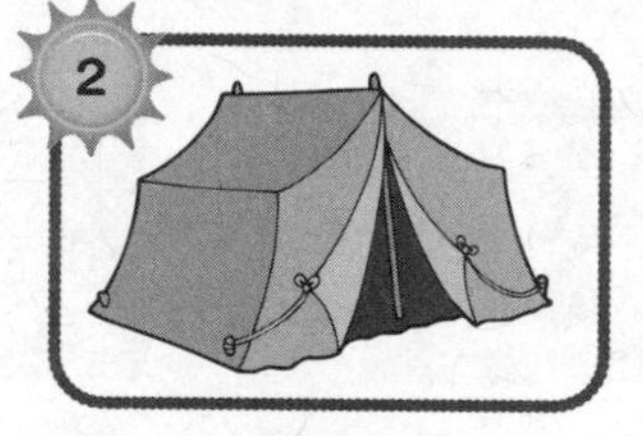

_ _ e _ _ _ _ _ _ _ b _ _ _ e _ t

3

4

_ _ m _ e _ C _ _ _ _ i _ _

5

6

_ _ _ s _ _ _ g _ _ _ a _ _ _ _ c _

LE JUMEAU

1.

2.

3.

4.

TORNADES DE LETTRES

MOTS ENTRECROISÉS

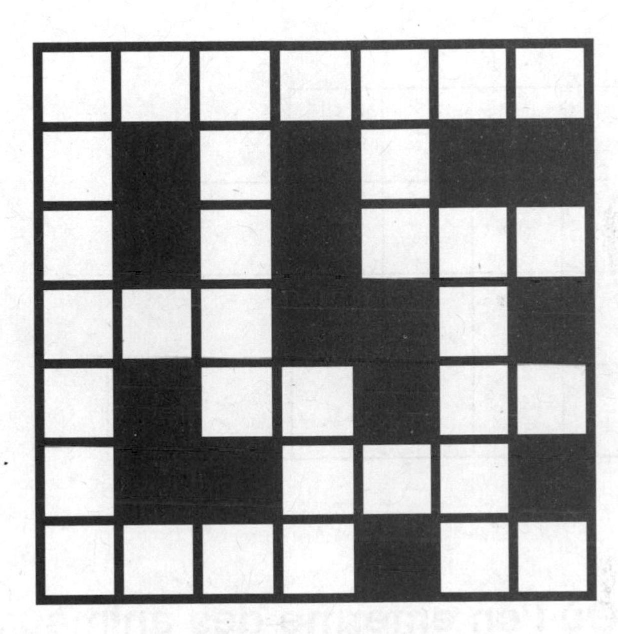

2
Et
Là
Tu

3
Ici

Lit
Oie
Thé
Ton

4
Rien

5
Hôtel
Pluie

7
Appeler
Arriver

MOT DANS L'OMBRE

1					
2					
3					
4					

Où l'on enferme des animaux

1 Animal qui miaule.
2 Les oiseaux en ont besoin pour voler.
3 Vêtement pour la main.
4 Entouré d'une clôture.

MOTS CACHÉS

L	A	V	A	B	O	F	S	C
C	H	A	M	B	R	E	A	U
M	A	I	S	O	N	E	L	I
T	B	T	L	I	T	A	O	S
A	A	A	U	N	V	T	N	I
S	I	B	A	E	U	A	I	N
S	N	L	A	M	P	E	S	E
E	P	E	C	H	A	I	S	E
C	H	A	U	D	R	O	N	L

Bain
Chaise
Chambre
Chaudron
Cuisine
Lampe
Lavabo
Lit
Maison
Plante
Salon
Table
Tasse
Vase

Mot de 8 lettres :

____

POINT EN POINT

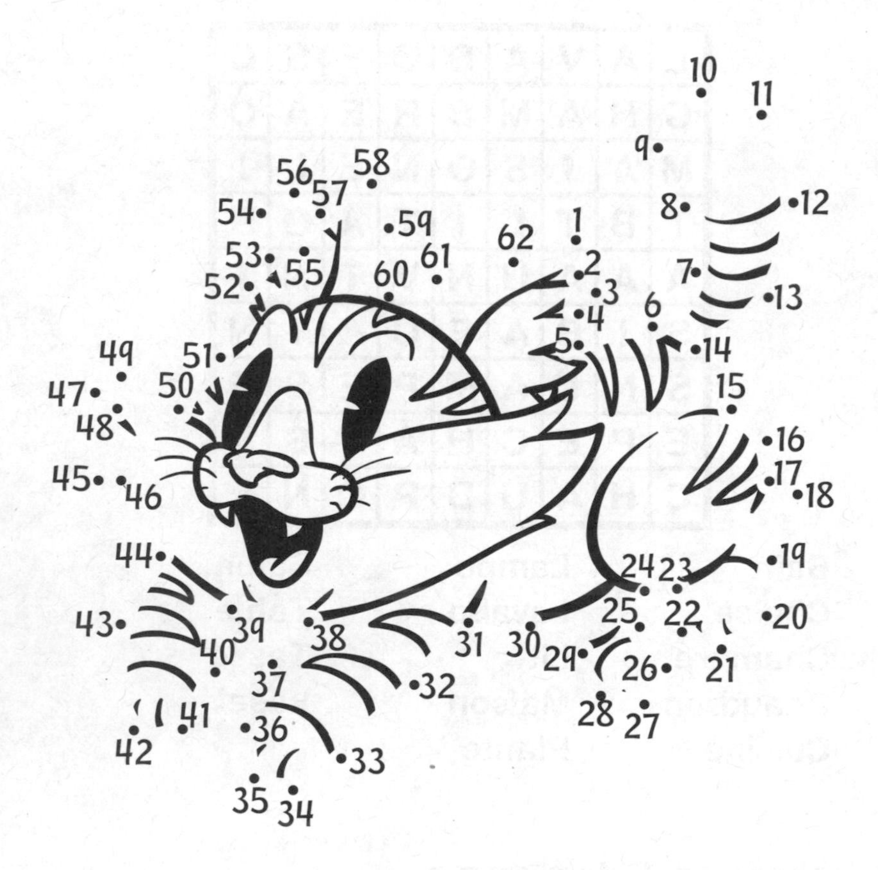

Connais-tu l'organisme?

Quel est le nom de la mascotte d'Opération Enfant Soleil?

a. Dr Bobo
b. Dr Toudoux
c. Dr Soleil

Réponse : b. Dr Toudoux

MOTS À DÉCOUVRIR

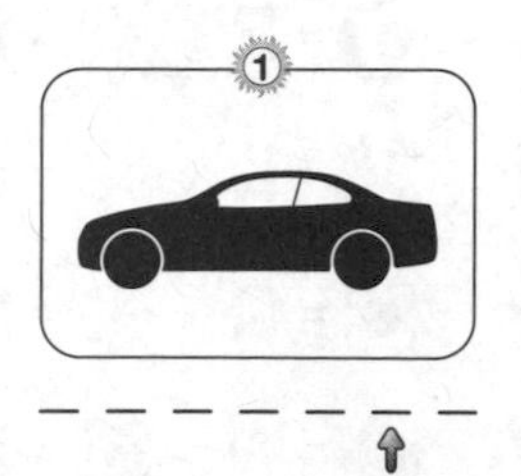

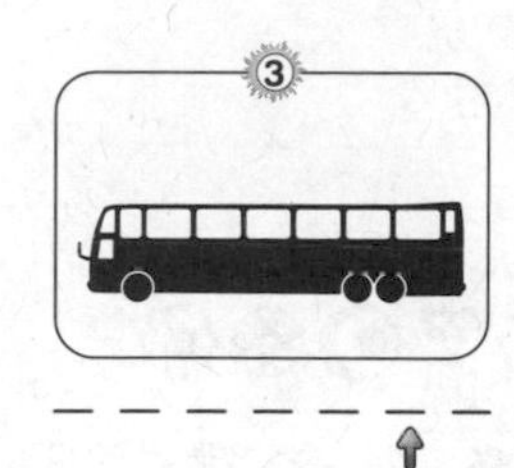

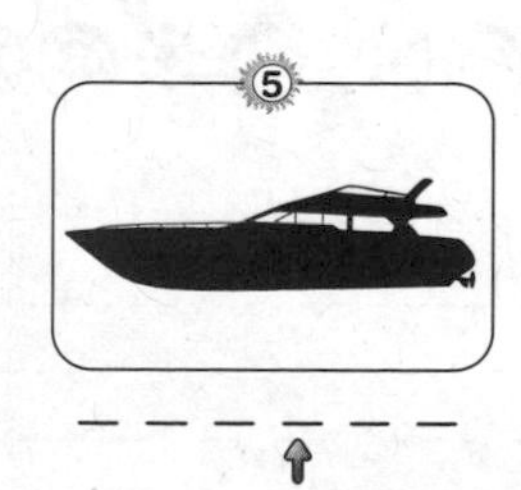

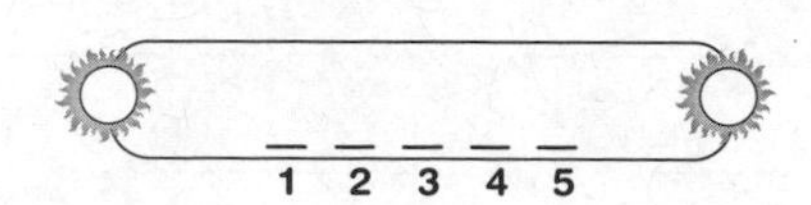

CODE SECRET

= A   = B   = C   = D   = E   = F

= G   = H   = I   = J   = K   = L

= M   = N   = O   = P   = Q   = R

= S   = T   = U   = V   = W   = X

= Y   = Z

'é
’
’   .

_ ’ é _ _ _ _ _ _   _ _ _ _ _ _ _ _

_ _ _ _ _ ,   _ ’ _ _ _   _ _ _ _ _ _ _

_ _ _ ,   _ ’ _ _ _   _ _ _ _ _ _ _ .

LABYRINTHE

Départ

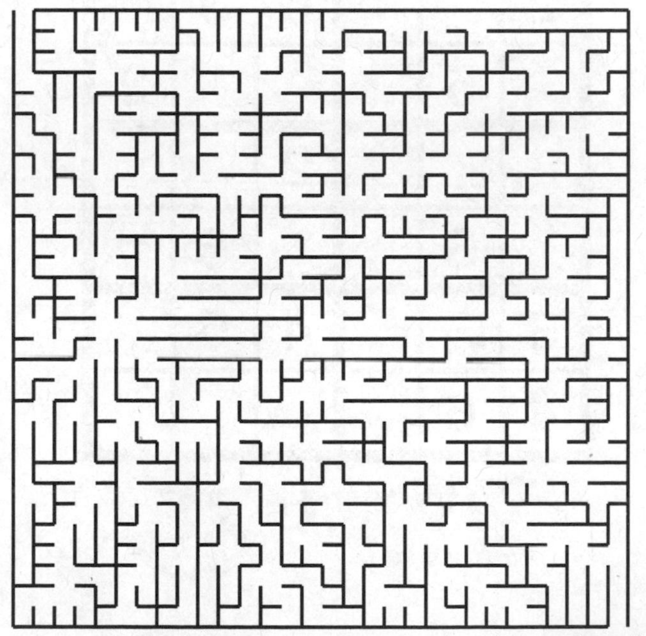

Arrivée

SUDOKU

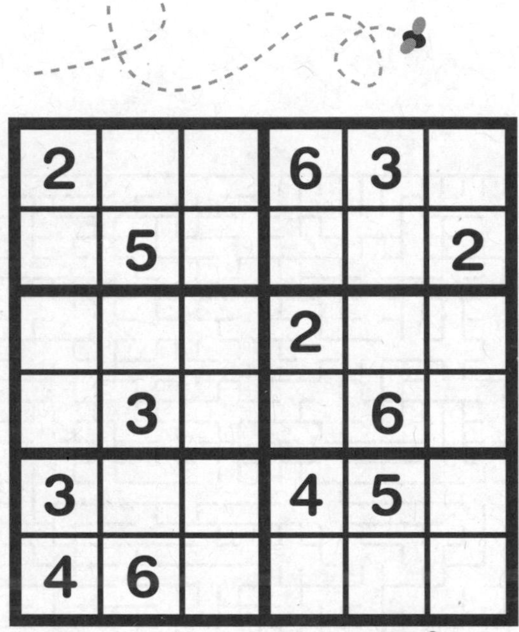

2			6	3	
	5				2
			2		
	3			6	
3			4	5	
4	6				

Connais-tu l'organisme?

Quel animal représente la mascotte d'Opération Enfant Soleil?

a. Un koala
b. Un raton-laveur
c. Un ourson

Réponse : a. Un koala

LES ENSEMBLES

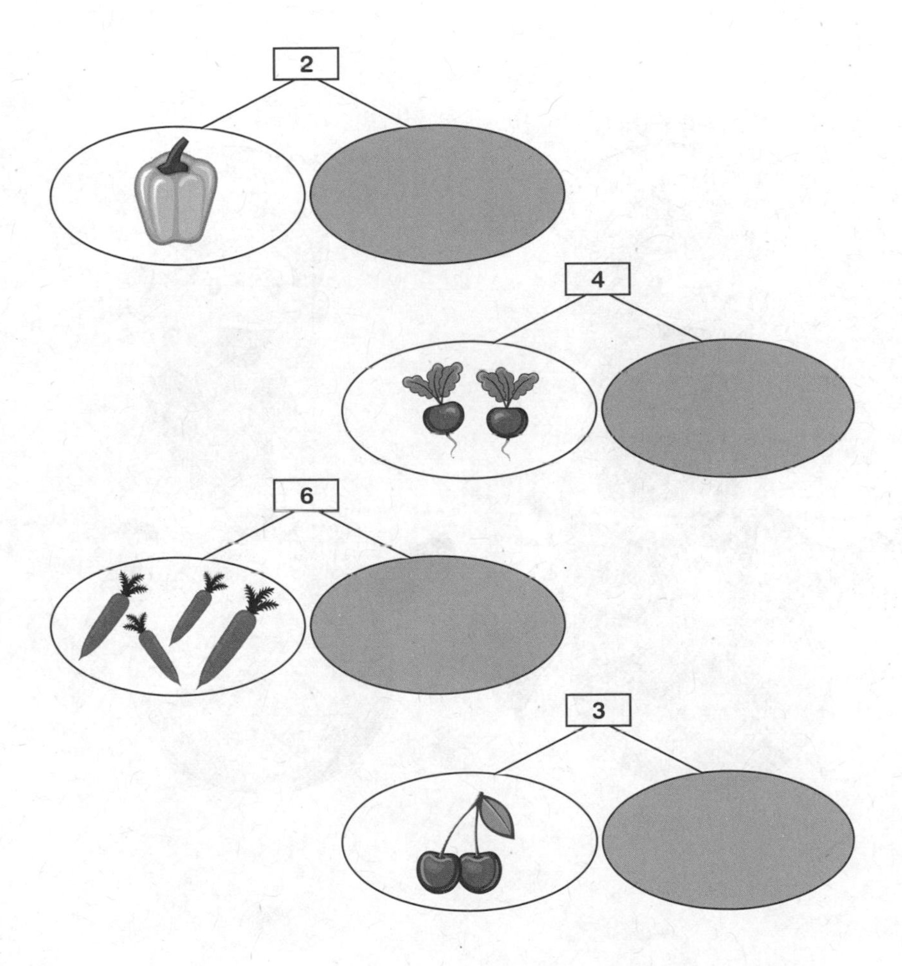

6 ERREURS

Connais-tu l'organisme ?

Combien de temps cela prend-il à l'équipe formée de plus de 65 personnes pour préparer les lieux pour le Téléthon ?

a. 5 jours (pour un total de 85 heures)
b. 7 jours (pour un total de 120 heures)
c. 2 semaines (pour un total de 240 heures)

Réponse : b. 7 jours (pour un total de 120 heures)

L'ARTISTE

L'HEURE

SUDOKU DESSINS

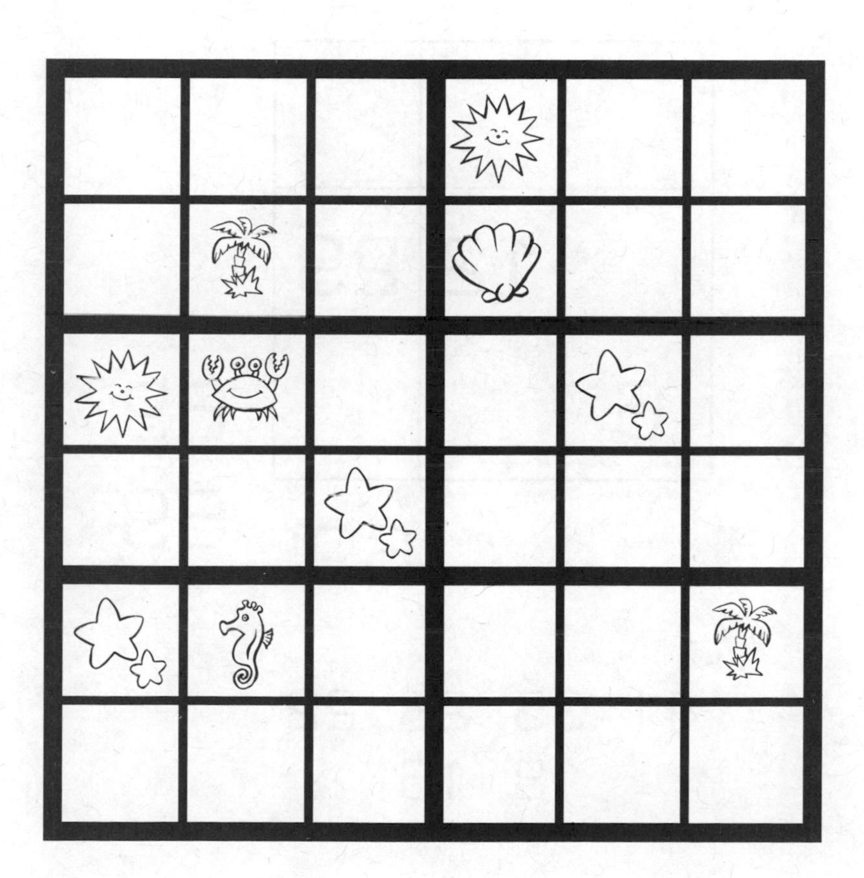

CARRÉ MAGIQUE

	12	29	
6			69
			69
		69	

41 35 28 22
18 16

Connais-tu l'organisme?

En quelle année la mascotte d'Opération Enfant Soleil a-t-elle été créée?

a. 1988
b. 2001
c. 2009

Réponse : c. 2009

DESSIN À COLORIER

Connais-tu l'organisme ?

Combien y a-t-il de caméras qui filment le Téléthon ?

a. 7
b. 9
c. 15

Réponse : b. 9

BINGO

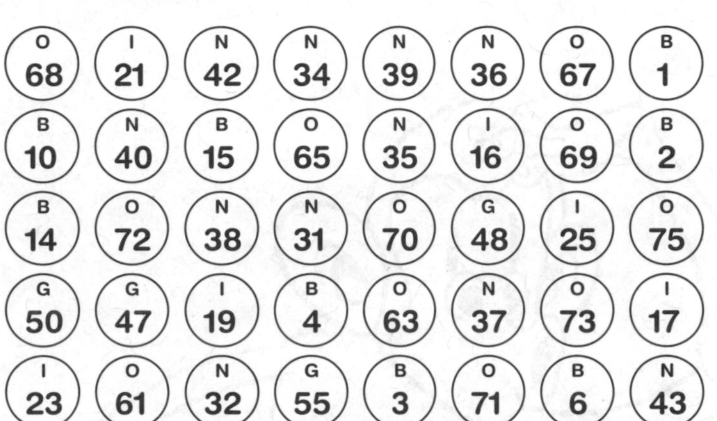

B	I	N	G	O
12	26	31	52	70
8	18	37	53	75
15	24	Gratuit	54	71
13	16	38	48	63
6	30	44	58	69

PARFAITE ORTHOGRAPHE

○ **PEINSO**

○ **PINSEAU**

○ **PINCEAU**

LE DOUBLE

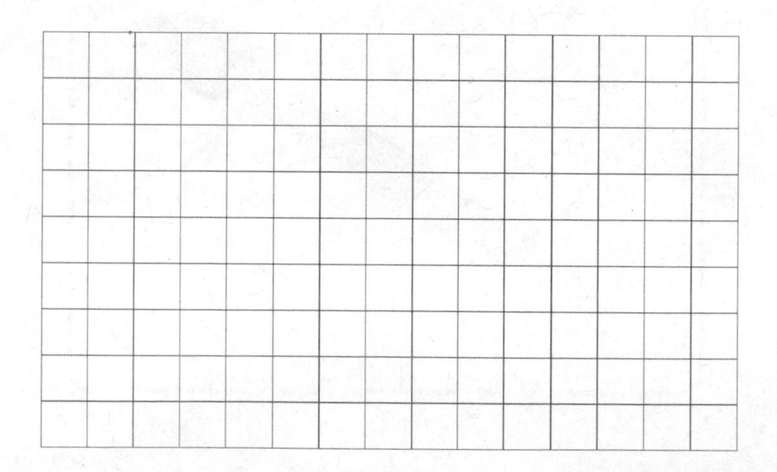

MÉLI-MÉLO

OISEAU

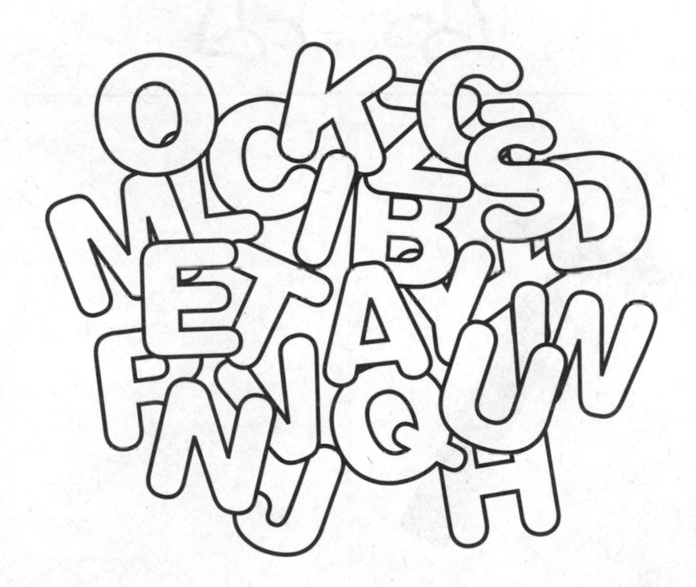

Connais-tu l'organisme?

Qui a écrit la chanson de la mascotte d'Opération Enfant Soleil?

a. Arthur L'aventurier
b. Cornemuse
c. Shilvi

Réponse : a. Arthur L'aventurier

SYMÉTRIE

BOURRASQUES DE MOTS

afntienn ______i_

huâtace ___t___

reciess c______

hiscmee ___m___

noalpnta _______n

LE SERRURIER

4 + 17 = [21] 8 + 12 = [ ] 16 + 3 = [ ]

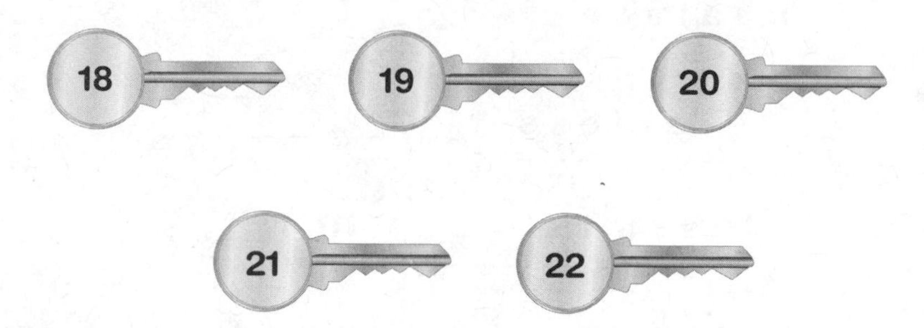

Connais-tu l'organisme?

Vrai ou faux? Opération Enfant Soleil offre des cartes de souhaits personnalisables pour la période des Fêtes.

Réponse : Vrai

LE TRADUCTEUR

VACATIONS

Sunglasses	Camera	Swimsuit
Sandals	Luggage	Plane

LE JUMEAU

1.

2.

3.

4.

TORNADES DE LETTRES

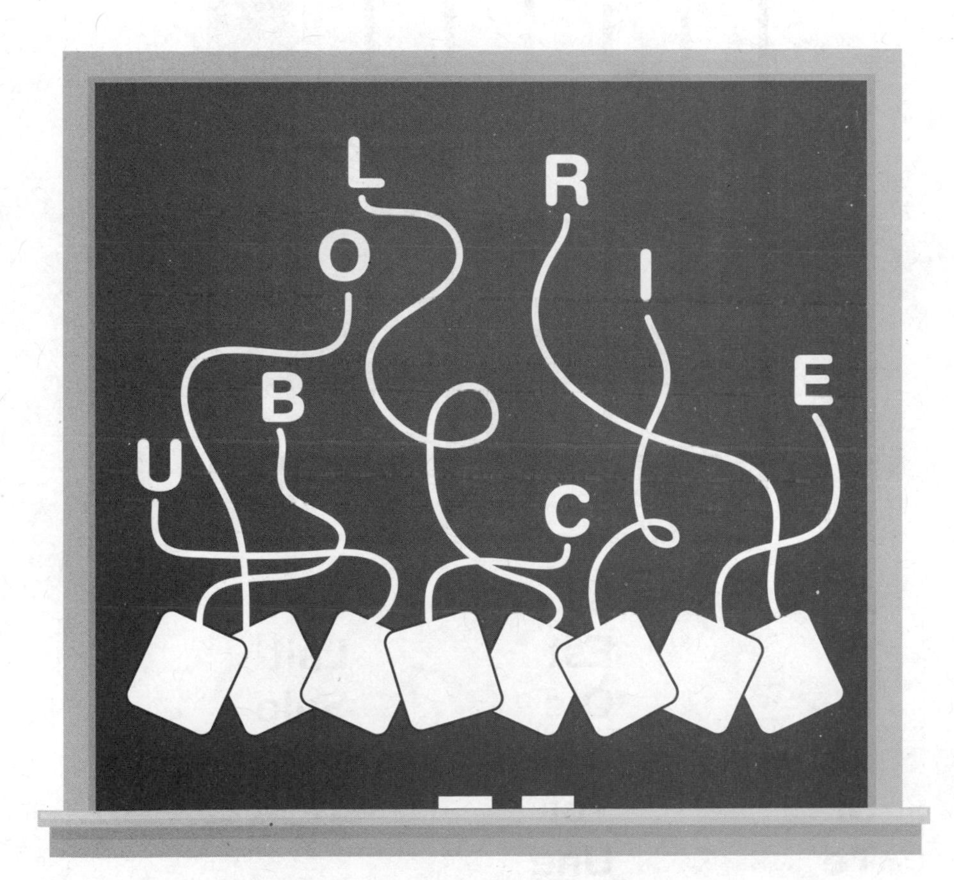

MOTS ENTRECROISÉS

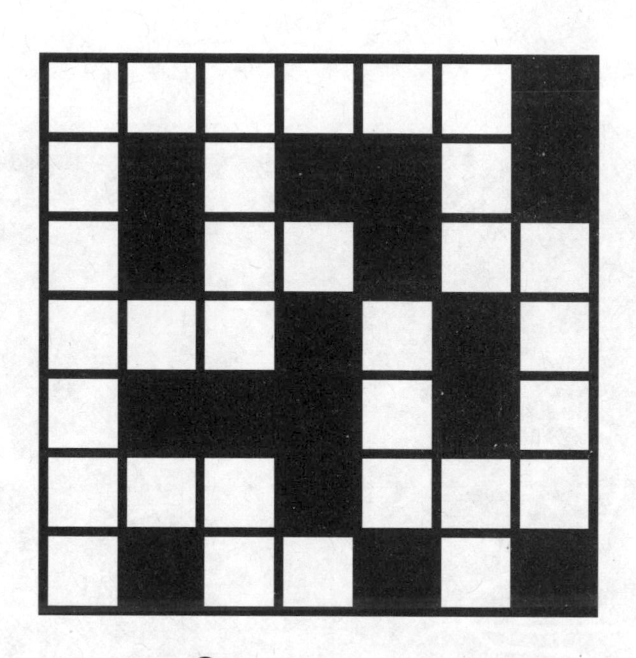

2
Et
Il
Là
Si
Te

3
Est
Oie
Que
Toi
Une

4
Lait
Sale

6
Absent

7
Autobus

MOT DANS L'OMBRE

1						
2						
3						
4						

Nom donné à un père

1 Partie du corps servant à marcher.
2 Artiste qui joue dans un film.
3 Enveloppe extérieure du corps.
4 Personne parfaite, exemplaire.

MOTS CACHÉS

P	A	R	A	S	O	L	T	N
C	B	S	U	R	F	O	O	A
S	O	L	E	I	L	V	P	G
B	U	M	F	L	C	A	E	E
A	E	S	I	Q	R	G	L	U
L	E	A	L	I	E	U	L	S
L	M	B	E	L	M	E	E	E
O	L	L	T	A	E	G	A	L
N	E	E	P	L	A	G	E	U

Ballon
Bouée
Crème
Eau
Filet
Maillot

Mer
Nage
Parasol
Pelle
Plage
Sable

Sel
Soleil
Surf
Vague

Mot de 10 lettres :

____

POINT EN POINT

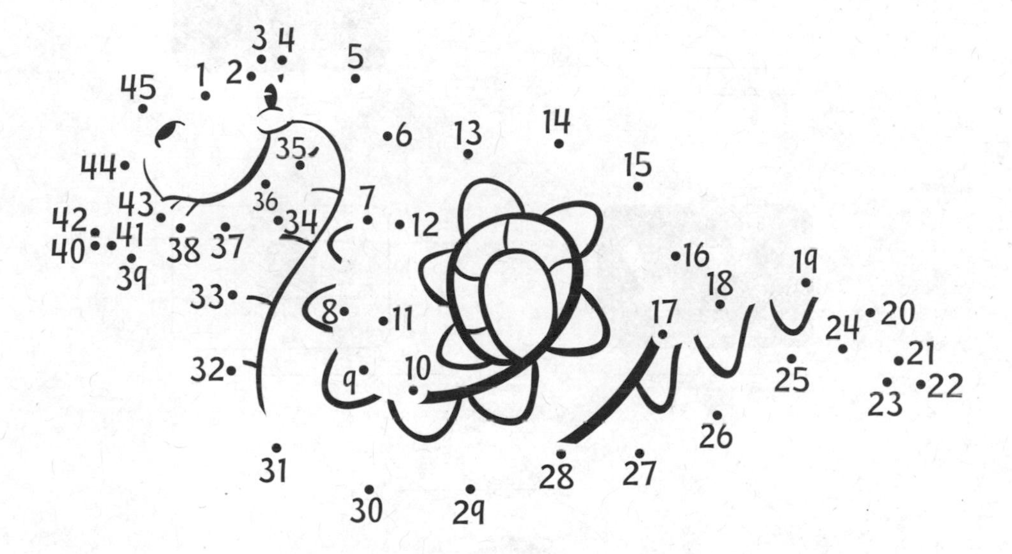

Connais-tu l'organisme ?

Qui a offert la mascotte à Opération Enfant Soleil après l'avoir gagnée lors d'un concours ?

a. Annie Brocoli
b. Joël Legendre
c. Arthur L'aventurier

Réponse : a. Annie Brocoli

MOTS À DÉCOUVRIR

1

_ _ _ _ _ _

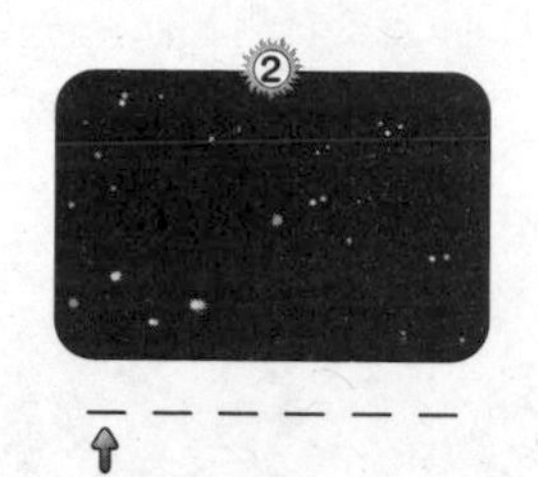

2

_ _ _ _ _ _

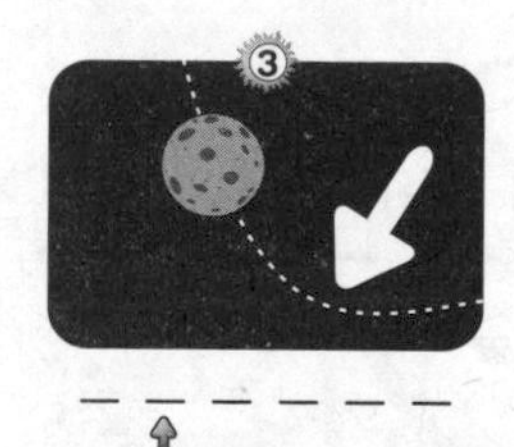

3

_ _ _ _ _ _

4

_ _ _ _ _ _ _ _ _

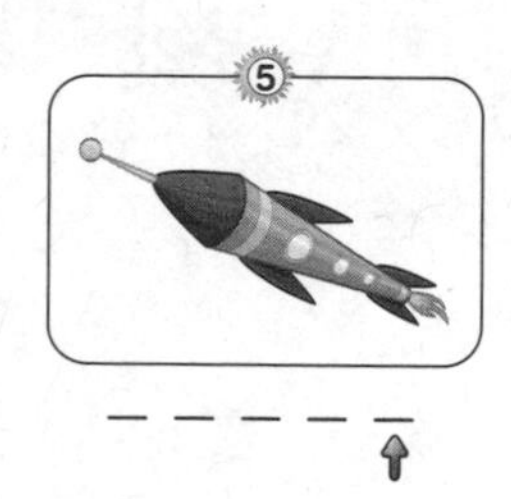

5

_ _ _ _ _

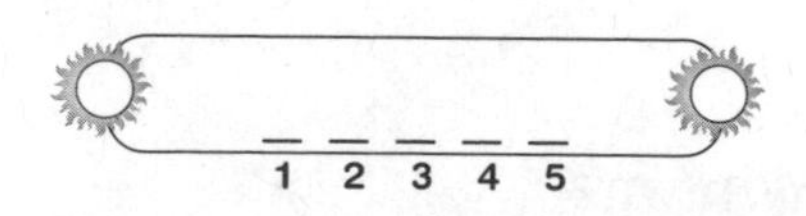

CODE SECRET

= A = B = C = D = E = F

= G = H = I = J = K = L

= M = N = O = P = Q = R

= S = T = U = V = W = X

= Y = Z

__ . ____________ __

____ ___ _______

____ _______

___ ____ .

LABYRINTHE

Départ

Arrivée

SUDOKU

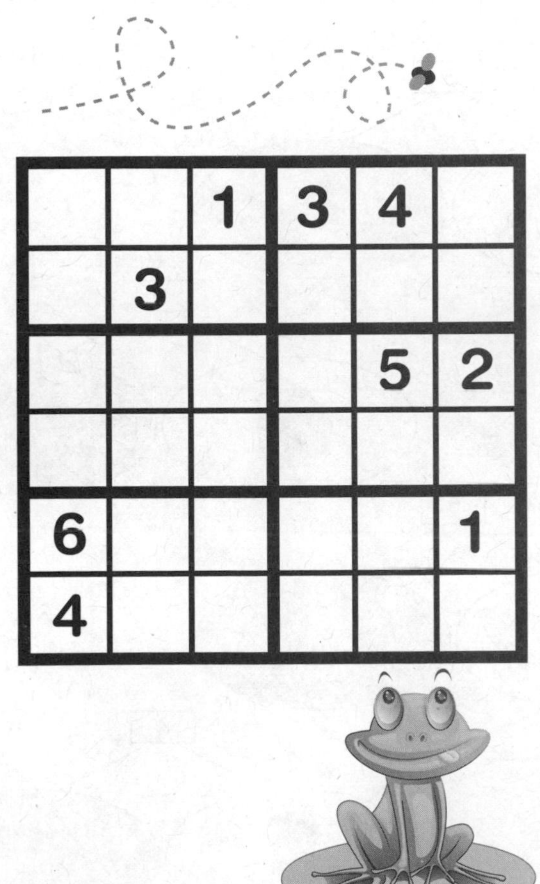

		1	3	4	
	3				
				5	2
6					1
4					

Connais-tu l'organisme?

Qui sont les deux principaux animateurs d'Opération Enfant Soleil?

Réponse : Joël Legendre et Annie Brocoli

LES ENSEMBLES

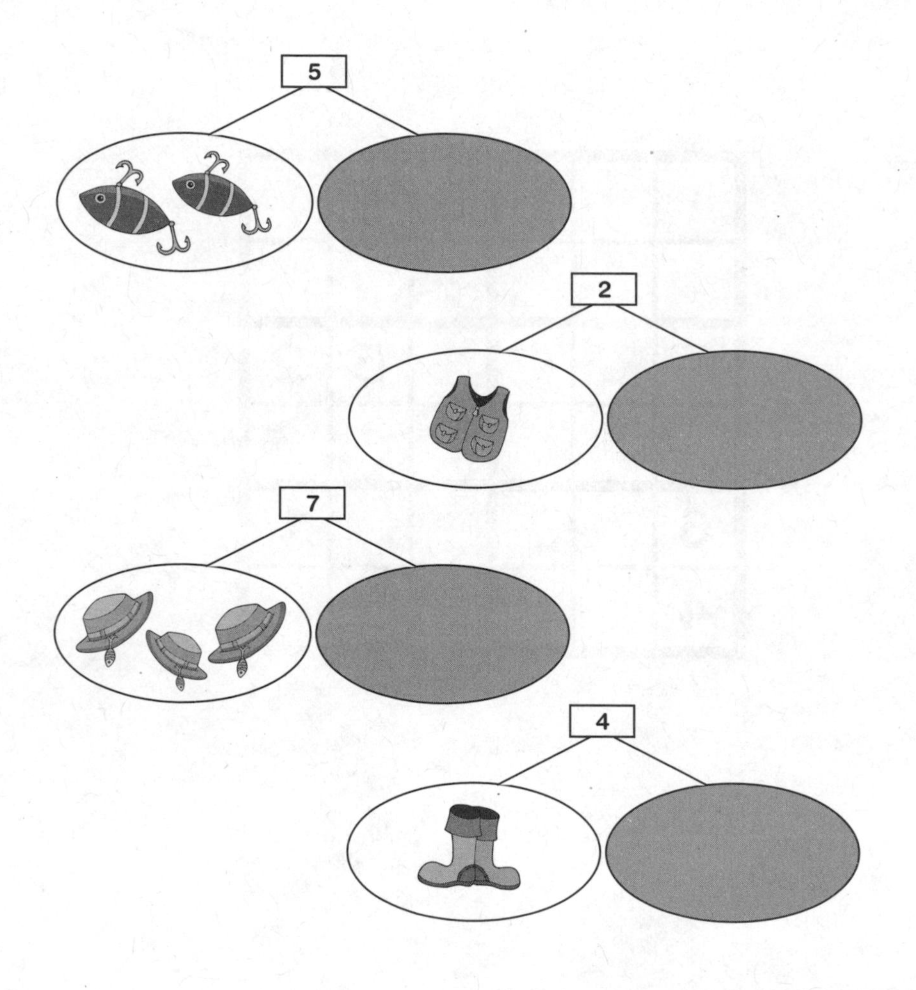

6 ERREURS

Connais-tu l'organisme?

Combien de repas sont servis bénévolement sur le site du Téléthon?

Réponse : Plus de 4 000 repas seront servis durant les 2 jours du Téléthon.

L'ARTISTE

L'HEURE

SUDOKU DESSINS

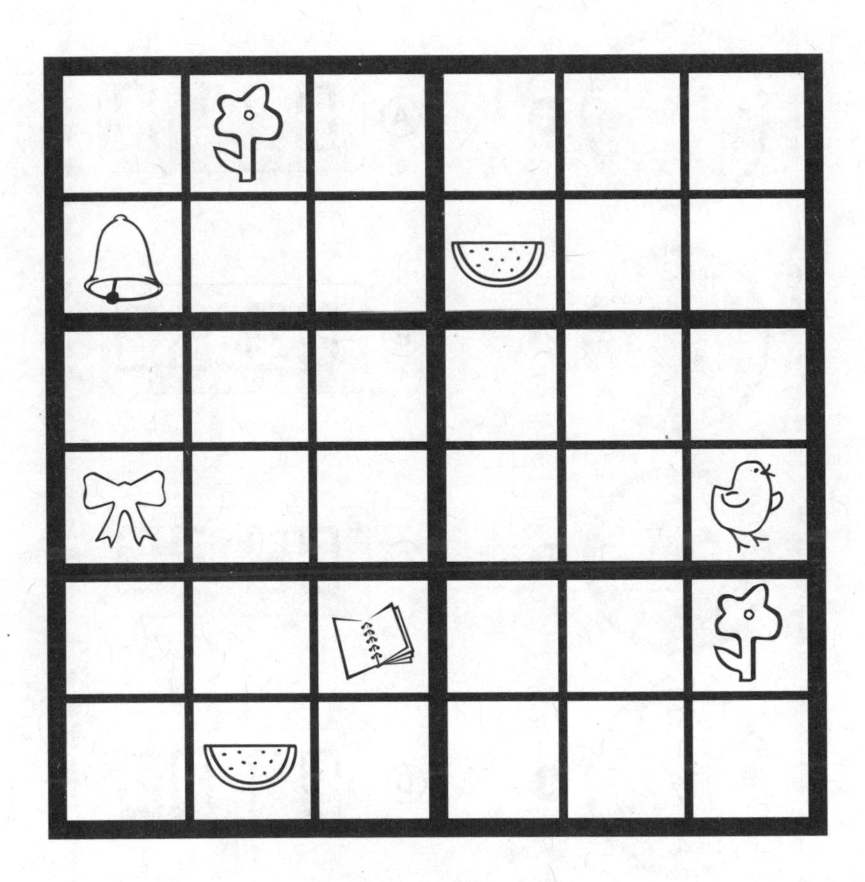

CARRÉ MAGIQUE

11	38		
		13	58
			58
		58	

40 36 22 20
18 15

Connais-tu l'organisme ?

Combien d'animateurs animent le Téléthon Opération Enfant Soleil ?

a. 2
b. 5
c. 12

Réponse : c. 12

DESSIN À COLORIER

Connais-tu l'organisme ?

Où a eu lieu le premier Téléthon Opération Enfant Soleil ?

a. Aux Galeries de la Capitale à Québec
b. À la salle Albert-Rousseau à Québec
c. Au Centre Eaton à Montréal

Réponse : a. Aux Galeries de la Capitale à Québec.

BINGO

N 45	G 49	B 4	G 58	I 21	O 67	B 11	O 71
N 36	I 27	N 41	I 19	B 13	B 8	I 25	B 6
O 61	B 2	B 3	N 35	G 56	I 26	G 46	O 73
I 24	G 51	I 23	O 70	I 30	I 18	B 5	O 62
O 65	O 63	N 38	B 10	N 43	N 34	O 69	N 42

B	I	N	G	O
14	27	32	52	74
10	19	38	56	62
8	26	Gratuit	49	68
3	25	33	59	69
12	17	44	58	71

PARFAITE ORTHOGRAPHE

○ SICEAUX

○ CISOS

○ CISEAUX

LE DOUBLE

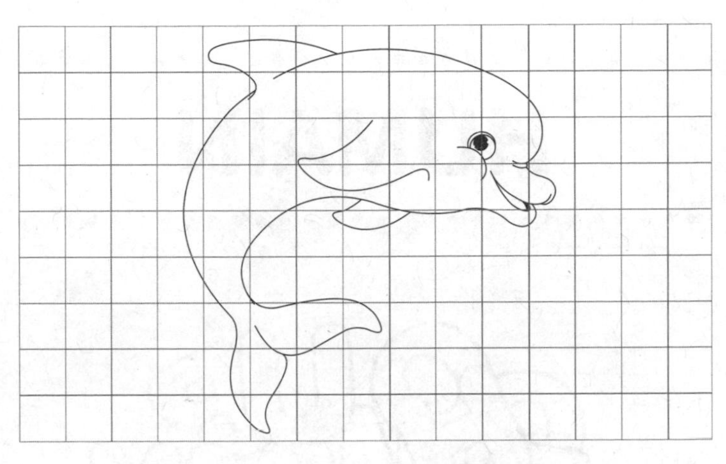

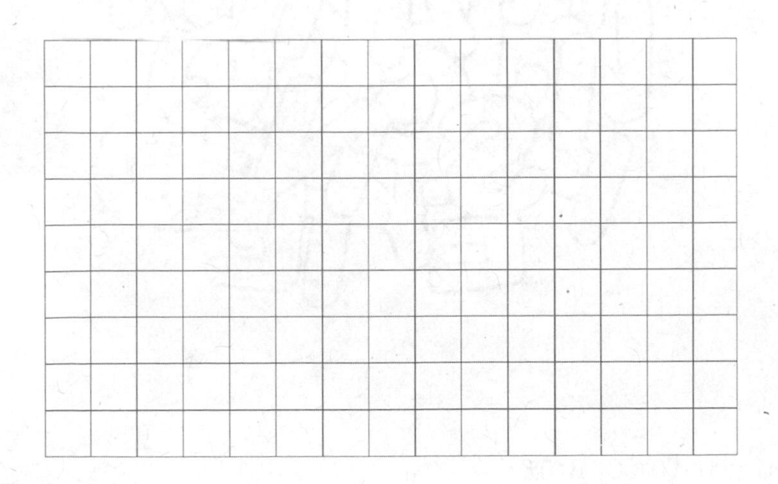

MÉLI-MÉLO

HUMAIN

Connais-tu l'organisme ?

Le 20e anniversaire d'implication a été souligné en 2011 pour un des animateurs. De qui s'agit-il ?

a. Joël Legendre
b. Alain Dumas
c. Louis-Georges Girard

Réponse : b. Alain Dumas

SYMÉTRIE

BOURRASQUES DE MOTS

o e s l i l	_ _ l _ _ _
e t n d o a r	_ _ _ _ _ d _
é c l a e é r s	_ é _ _ _ _ _ _
o l s i r s e u	_ _ _ _ _ _ r _
e s o i a u	o _ _ _ _ _

LE SERRURIER

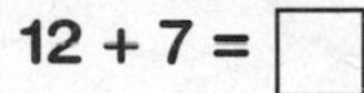

12 + 7 = ☐ 24 - 18 = ☐ 13 - 8 = ☐

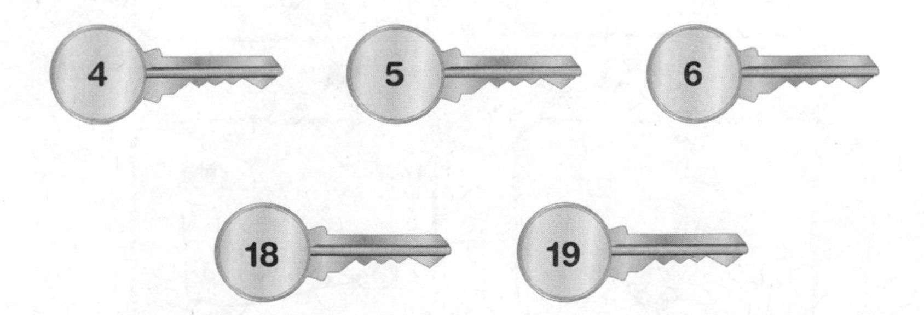

Connais-tu l'organisme?

Comment se nomme le programme de dons mensuels d'Opération Enfant Soleil ?

a. Parents Soleil
b. Opération parrain
c. Dons du cœur

Réponse : a. Parents Soleil

LE TRADUCTEUR

PIRATES

Map	Palm tree	Parrot
Sword	Treasure	Anchor

_ _ _ a _ _ r _

P _ _ _ _ _ r _ _

_ _ c _ o _

_ a _ _ _ t

S _ o _ _

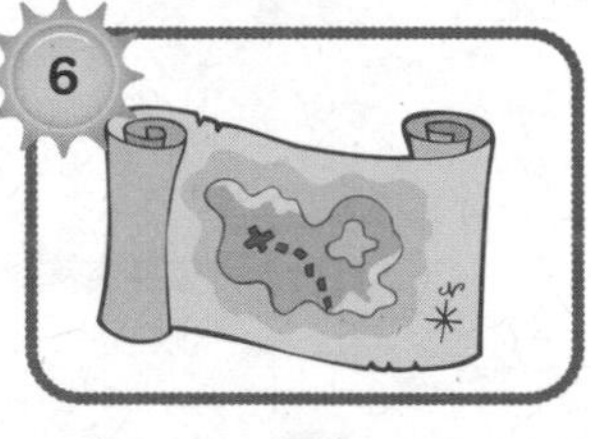

_ a _

LE JUMEAU

1.

2.

3.

4.

TORNADES DE LETTRES

MOTS ENTRECROISÉS

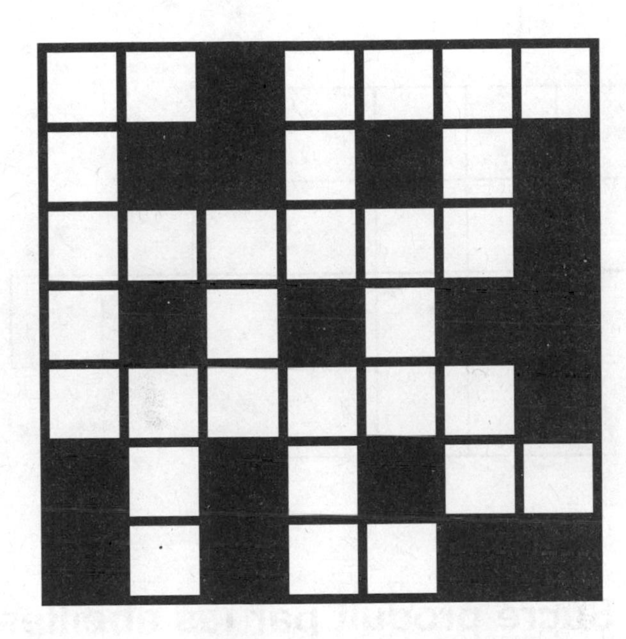

2
De
Et
Il
Te

3
Fer

Ici
Riz
Roi
Rue
Une

4
Fort

5
Début

6
Beurre
Treize

MOT DANS L'OMBRE

1							
2							
3							
4							

Sucre produit par les abeilles

1 Liste des mets composant un repas.
2 Personne que l'on admire.
3 Qui dort.
4 Le roi de la jungle.

MOTS CACHÉS

H	B	L	U	T	I	N	T	R
B	O	B	D	S	A	P	I	N
I	U	U	O	I	F	E	T	E
S	L	A	X	N	N	I	N	L
C	E	B	A	S	B	D	E	E
U	R	E	N	N	E	O	E	L
I	A	C	A	N	N	E	N	A
T	E	T	O	I	L	E	U	I
C	O	U	R	O	N	N	E	T

Bas
Biscuit
Bonbon
Boule
Canne
Couronne
Dinde
Étoile
Fête
Houx
Lait
Lutin
Noël
Renne
Sapin

Mot de 8 lettres :

____

POINT EN POINT

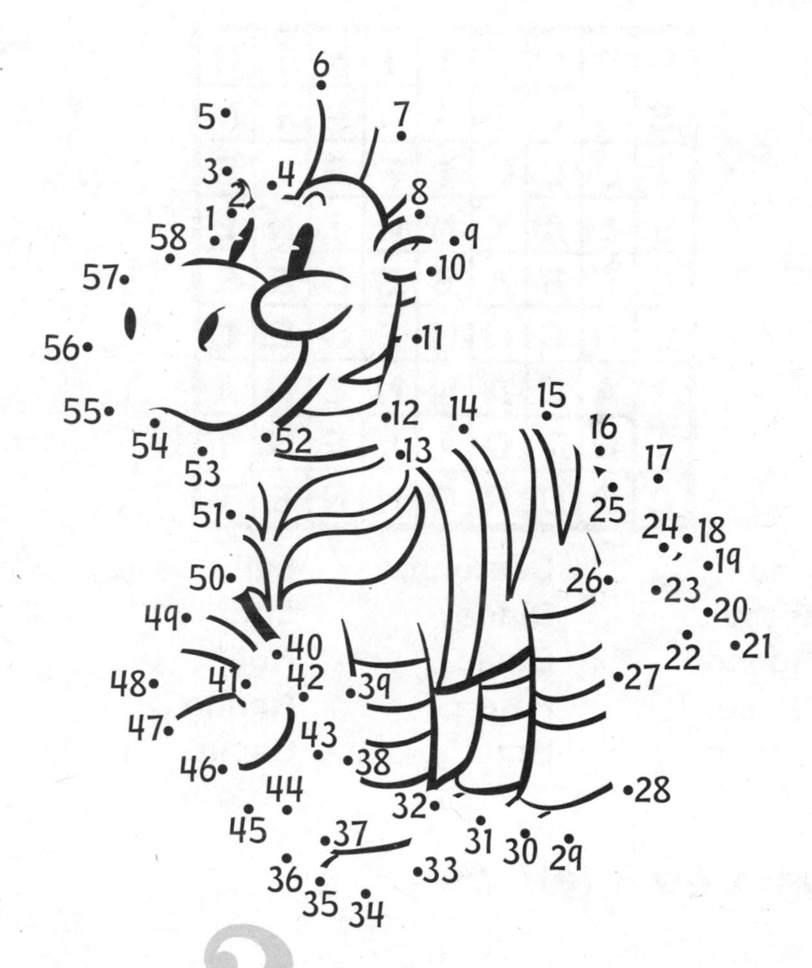

Connais-tu l'organisme?

Qui étaient la marraine et le parrain du Concours Jeunes Espoirs en 2011 ?

a. Marie-Ève Janvier et Jean-François Breau
b. Céline Dion et René Angélil
c. Annie Villeneuve et Étienne Drapeau

Réponse : a. Marie-Ève Janvier et Jean-François Breau

MOTS À DÉCOUVRIR

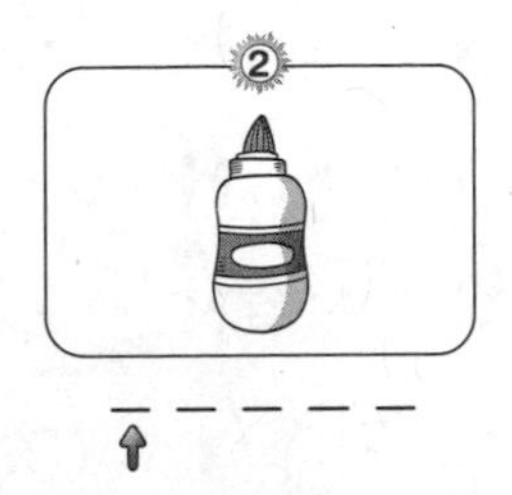

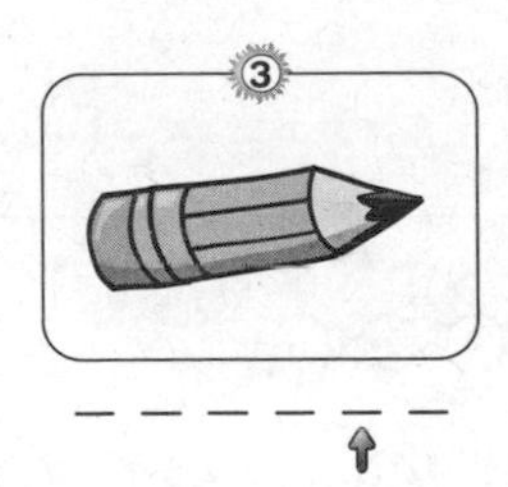

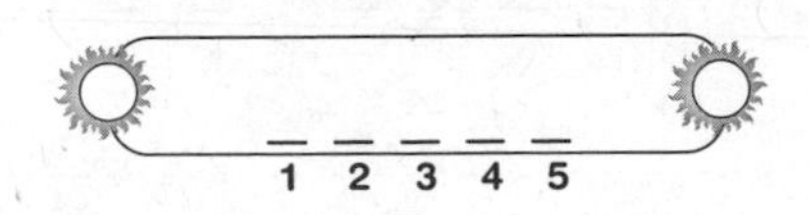

CODE SECRET

= A   = B   = C   = D   = E   = F

= G   = H   = I   = J   = K   = L

= M   = N   = O   = P   = Q   = R

= S   = T   = U   = V   = W   = X

= Y   = Z

’ é é

è

.

_ ’ é _ é _ _ _ _ _ _   _ _ _

_ _   _ _ _ _ _   _ _ _ _ _ _ _ è _ _

_ _ _   _ _   _ _ _ _ _   _ _ _

_ _ _ _ _ _ _ .

LABYRINTHE

Départ

Arrivée

SUDOKU

			2		
4				5	6
		5			
		6	3		
		3	5		
	2				

Connais-tu l'organisme?

Qui sont les animateurs de la nuit lors du Téléthon?

Réponse : Claudine Prévost et Alex Perron

LES ENSEMBLES

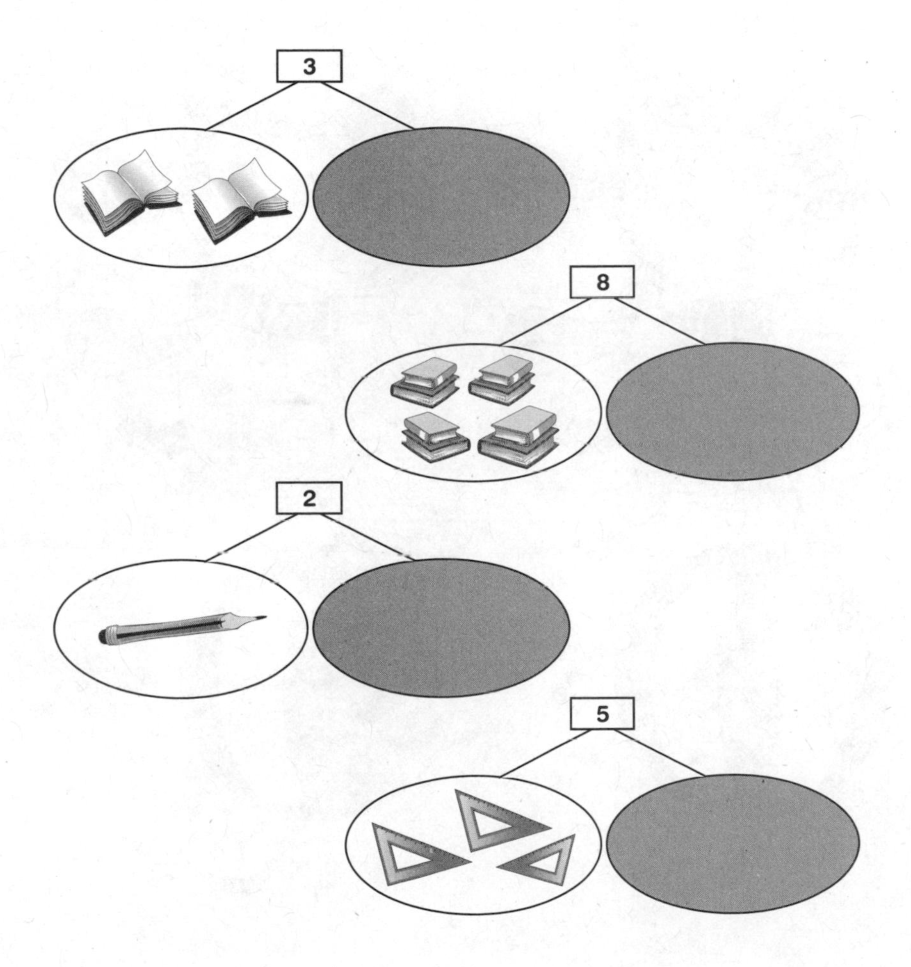

6 ERREURS

Connais-tu l'organisme?

À quel endroit n'a jamais eu lieu le Téléthon?

a. Aux Galeries de la Capitale à Québec
b. À la Salle Albert-Rousseau à Québec
c. Au Capitole de Québec
d. Aucune de ces réponses

Réponse : d. Aucune de ces réponses

L'ARTISTE

L'HEURE

SUDOKU DESSINS

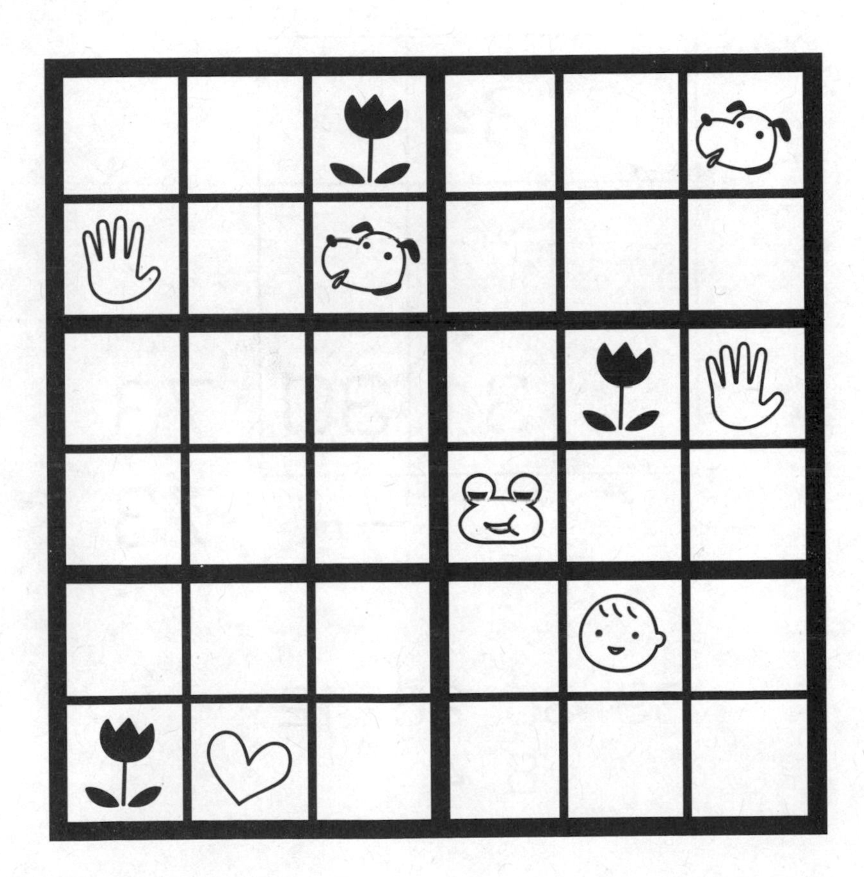

CARRÉ MAGIQUE

	34		
	31	30	73
			73
		73	

39 35 26 12
8 4

Connais-tu l'organisme?

Quelles animatrices animent la Matinée des enfants lors du Téléthon?

Réponse : Isabelle Cyr et Josée Lavigueur

DESSIN À COLORIER

Connais-tu l'organisme?

Combien de bénévoles œuvrent durant le Téléthon?

a. Environ 600
b. Environ 500
c. Environ 200

Réponse : a. Environ 600

BINGO

G 54	G 57	N 40	B 14	O 75	G 48	O 65	N 32
N 37	I 20	G 46	B 5	N 39	B 1	I 27	I 25
G 55	O 72	B 4	G 58	B 7	B 15	G 52	I 23
I 26	B 12	I 29	O 74	G 50	I 21	I 18	O 62
N 34	N 41	I 17	O 66	G 59	O 68	N 43	I 28

B	I	N	G	O
3	27	38	51	74
5	25	31	55	71
8	26	Gratuit	46	66
9	20	41	56	63
10	29	42	60	70

PARFAITE ORTHOGRAPHE

- BOUSSOLE
- BOUSOL
- BOUE-SOL

LE DOUBLE

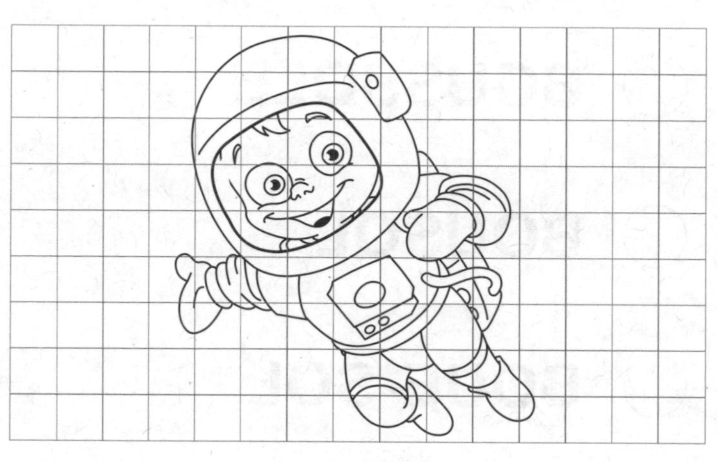

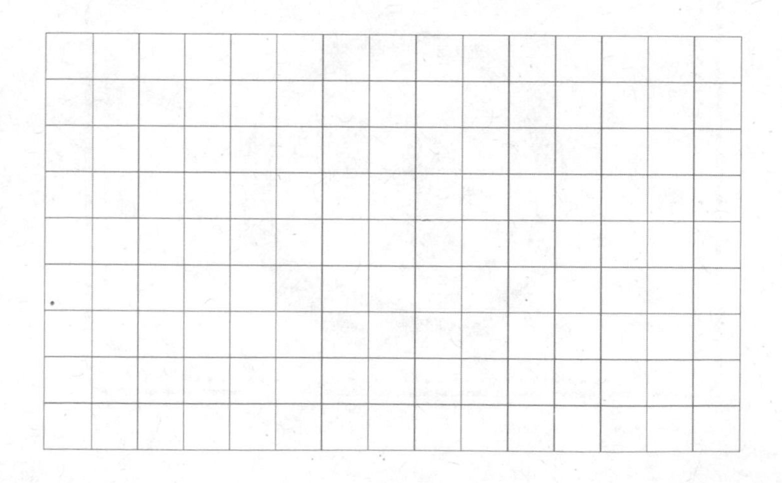

MÉLI-MÉLO

LICORNE

Connais-tu l'organisme?

Quel est le nom de l'animateur qui co-animait avec Marie-Soleil Tougas?

Réponse : Francis Reddy

SYMÉTRIE

BOURRASQUES DE MOTS

d i a o r n e t u r	_ _ _ _ n _ _ _ _ _
i n s o d a e r u	_ _ _ _ _ a _ _ _
s i n t c o r a s	c _ _ _ _ _ _ _ _
a d r n e r	_ _ _ _ _ d
i l u c r o t e l i	_ _ _ _ _ _ _ l _ _

LE SERRURIER

20 - 13 = ☐ 11 - 3 = ☐ 3 + 9 = ☐

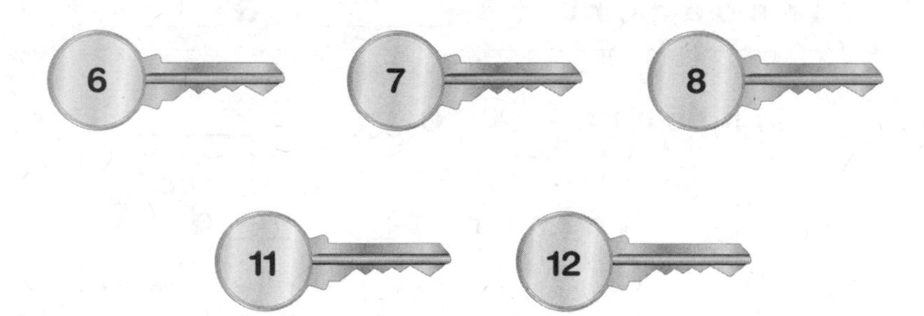

Connais-tu l'organisme ?

De quel réseau international est membre Opération Enfant Soleil ?

a. Children's Miracle Network (Réseau Enfants-Santé)
b. Réseau Francophone International pour la Promotion de la santé (RÉFIPS)
c. Agence d'évaluation des technologies et des modes d'intervention en santé (AETMIS)

Réponse : a. Children's Miracle Network (Réseau Enfants-Santé)

LE TRADUCTEUR

TRANSPORTATION

Car — Scooter — Bicycle
Ambulance — Truck — Bus

LE JUMEAU

1.

2.

3.

4.

TORNADES DE LETTRES

MOTS ENTRECROISÉS

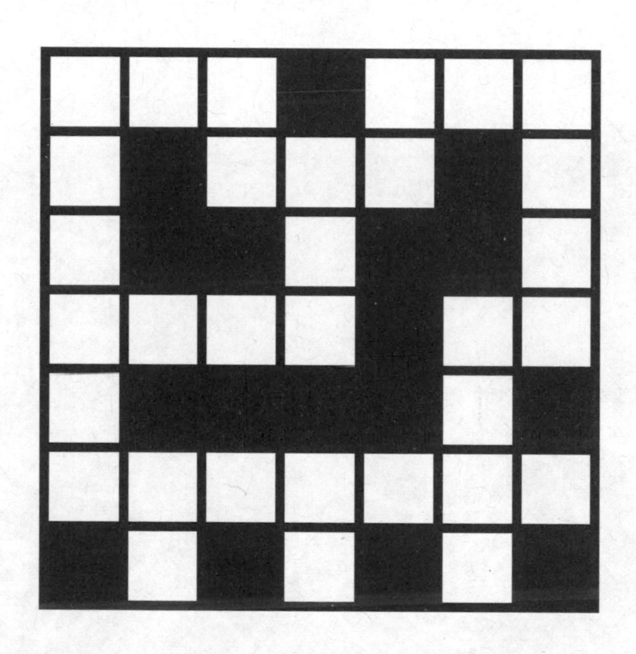

2
De
Et
Le
Ou
Tu

3
Âge
Eau
Tel
Tôt

4
Dieu
Onze
Tête

6
Tiroir

7
Reposer

MOT DANS L'OMBRE

1					
2					
3					
4					

Il y en a douze dans un an

1 Mère.
2 Prisonnier utilisé pour avoir une rançon.
3 Représentation imprimé.
4 Astre visible de jour dans le ciel.

MOTS CACHÉS

P	O	I	S	S	O	N	C	F
L	A	I	S	S	E	E	O	U
L	T	E	R	H	G	S	L	R
I	R	A	C	A	I	R	L	E
E	I	I	C	R	U	M	I	T
V	N	B	U	C	H	I	E	N
R	T	O	R	T	U	E	R	R
E	S	L	E	Z	A	R	D	A
A	Q	U	A	R	I	U	M	T

Aquarium
Bol
Cage
Chien
Collier
Furet
Laisse
Lézard
Lièvre
Niche
Poisson
Rat
Souris
Tortue

Mot de 9 lettres :

____

POINT EN POINT

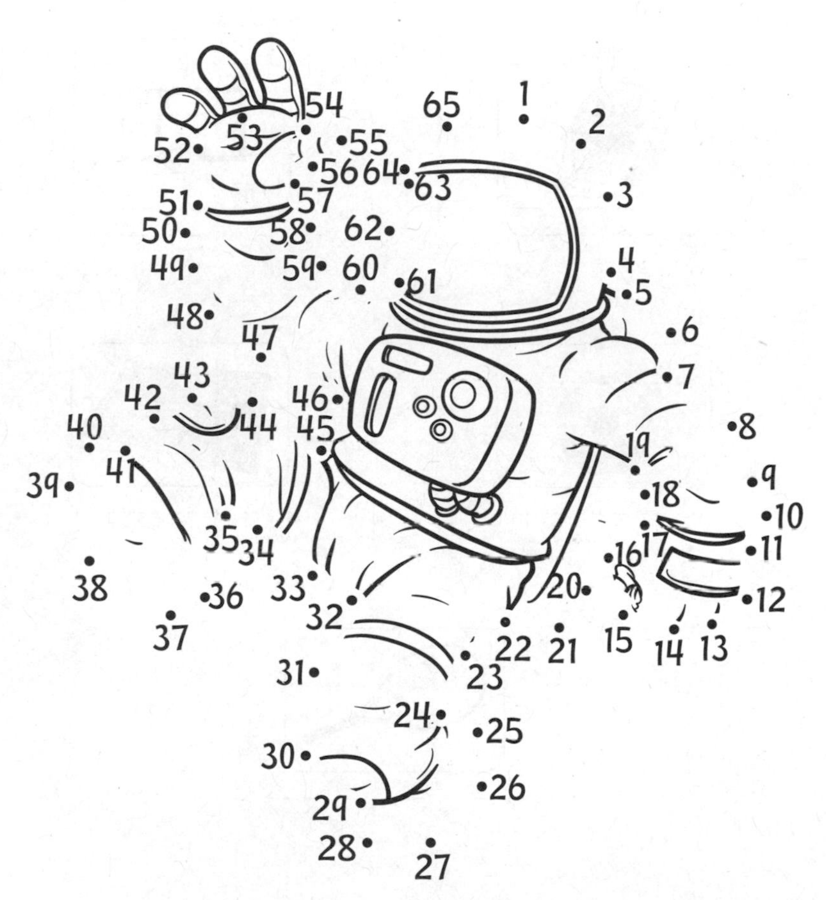

Connais-tu l'organisme?

Lequel de ces animateurs n'a jamais fait partie de l'équipe d'animation du Téléthon?

a. Michel Jasmin
b. Grégory Charles
c. Patrice L'Écuyer

Réponse : c. Patrice L'Écuyer

MOTS À DÉCOUVRIR

1

2

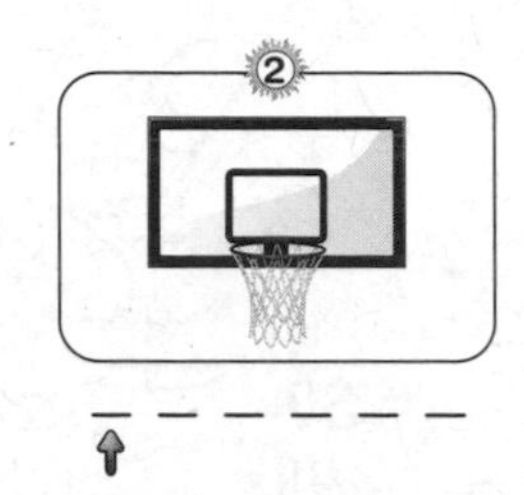

3

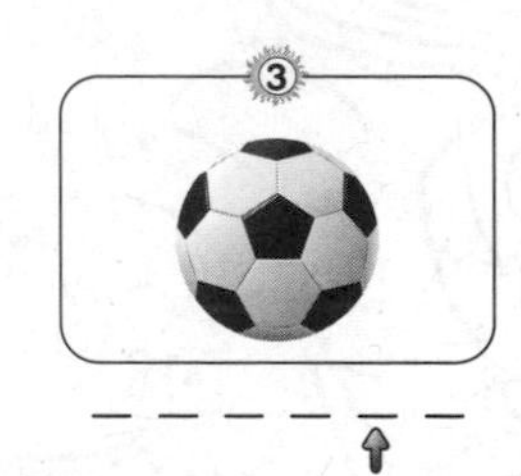

4

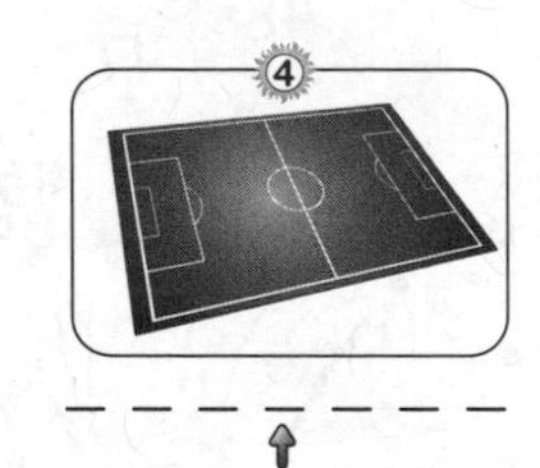

5

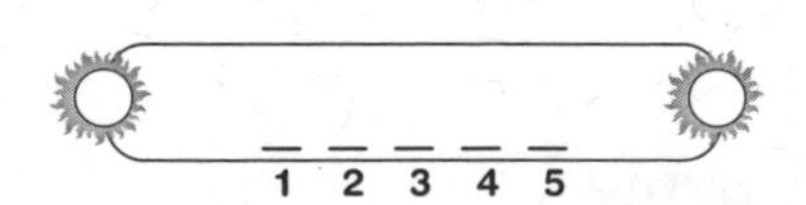

CODE SECRET

= A   = B   = C   = D   = E   = F

= G   = H   = I   = J   = K   = L

= M   = N   = O   = P   = Q   = R

= S   = T   = U   = V   = W   = X

= Y   = Z

_ _ _ _   _ _ _

_ _ _ _ _ _ _ _ _ _

_ _ _ _ _ _ _ _   _ _ _ _ _ _

_ _   _ _ _ _   _ _ _ _ _ _ _.

LABYRINTHE

Départ

Arrivée

SUDOKU

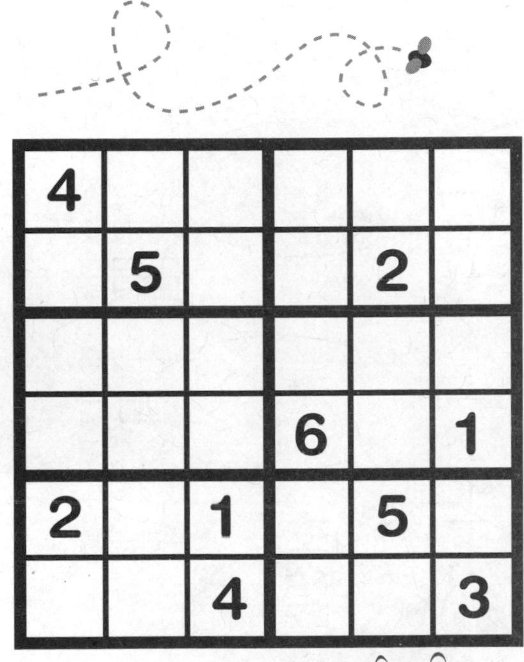

4					
	5			2	
			6		1
2		1		5	
		4			3

Connais-tu l'organisme?

Quelle animatrice a remplacé Marie-Soleil Tougas après son tragique décès?

Réponse : Patricia Paquin

LES ENSEMBLES

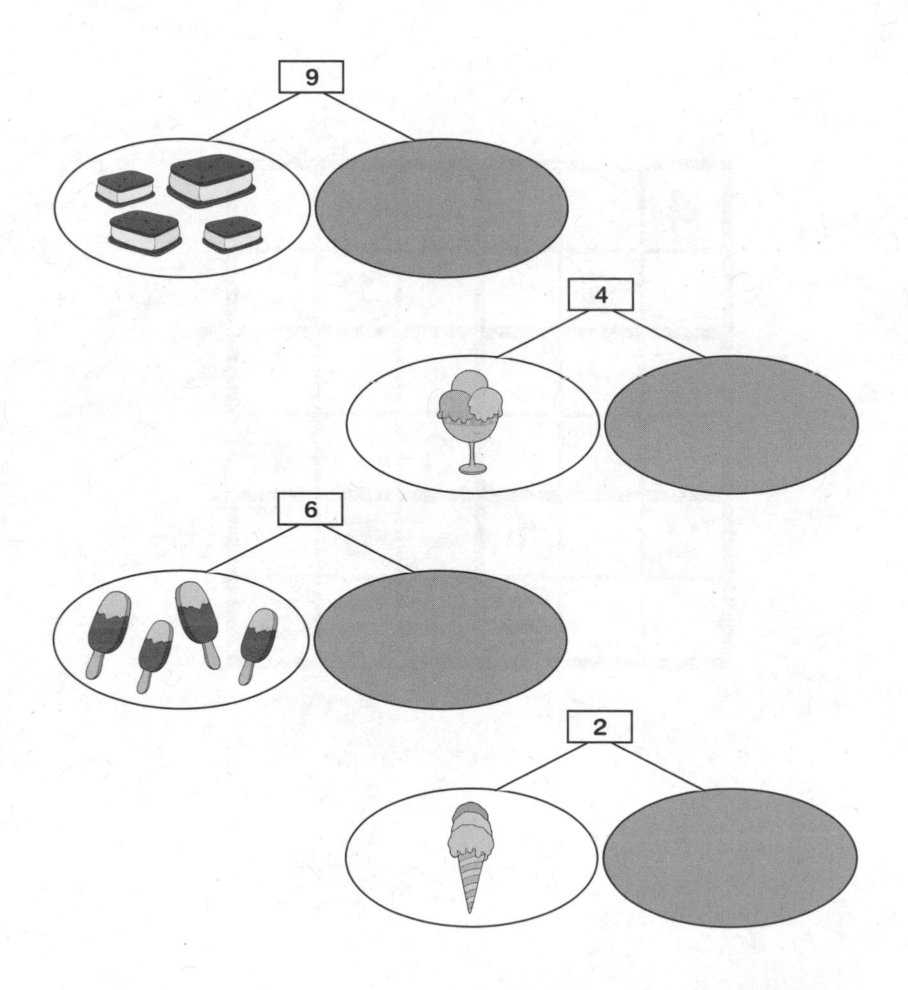

6 ERREURS

Connais-tu l'organisme ?

Combien y a-t-il de comités de bénévoles qui participent au Téléthon ?

a. 13
b. 18
c. 23

Réponse : c. 23

L'ARTISTE

L'HEURE

SUDOKU DESSINS

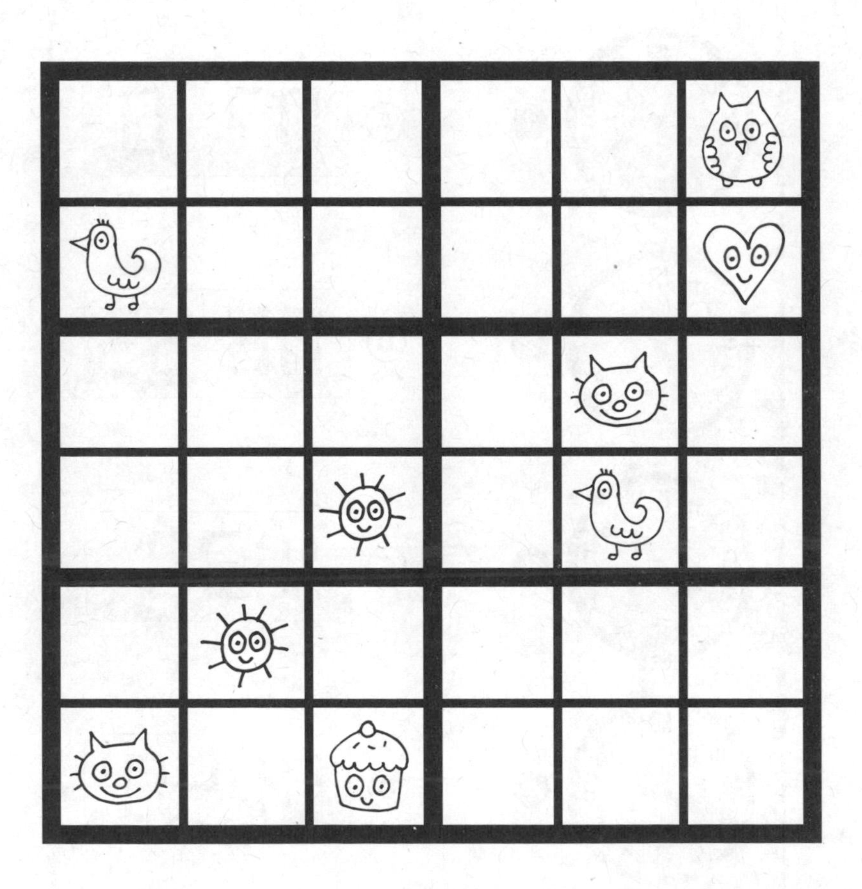

CARRÉ MAGIQUE

		35
		27
41		

75

75

75

38 24 21 16
13 10

Connais-tu l'organisme ?

Nommer un couple de frère et sœur qui a été parmi les premiers animateurs du Téléthon ?

Réponse : René et Nathalie Simard.

DESSIN À COLORIER

Connais-tu l'organisme?

Quelle est la deuxième activité de collecte de fond la plus importante organisée par Opération Enfant Soleil chaque année?

Réponse : Le tirage de la Maison Enfant Soleil

BINGO

O 69	O 67	I 23	O 63	O 68	I 25	N 32	B 11
B 2	I 18	N 33	G 50	O 65	I 16	O 64	N 38
N 35	O 73	N 31	O 62	B 15	N 45	O 66	N 41
G 54	B 3	I 24	G 52	N 43	O 75	B 9	G 55
N 36	N 37	G 47	N 42	I 17	B 13	G 59	I 30

B	I	N	G	O
8	29	44	54	64
10	30	35	50	70
13	21	Gratuit	56	71
6	24	45	57	61
11	18	36	48	74

PARFAITE ORTHOGRAPHE

- ○ PAPILON
- ○ PAPILLON
- ○ PAPIYON

LE DOUBLE

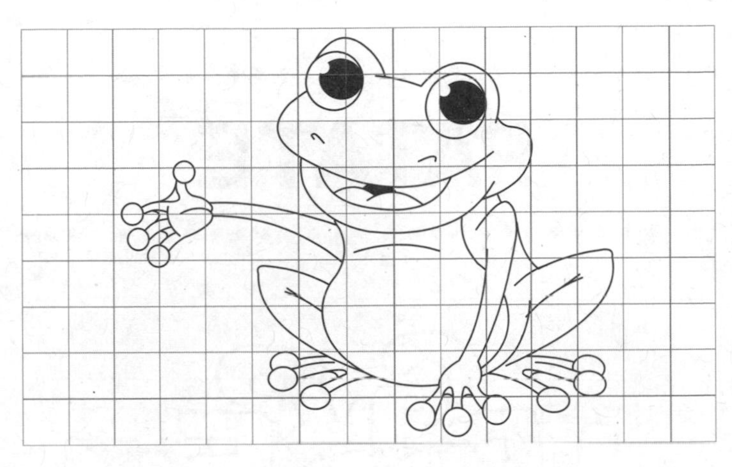

MÉLI-MÉLO

PATATE

Connais-tu l'organisme?

Tout au long de l'année, plusieurs partenaires amassent des fonds pour Opération Enfant Soleil. Combien y en a-t-il?

a. Environ 500 partenaires
b. Près de 1 000 partenaires
c. Plus de 1 200 partenaires

Réponse : c. Plus de 1 200 partenaires

SYMÉTRIE

BOURRASQUES DE MOTS

u b q o n i u	_ _ _ q _ _ _
n i a c m o	_ _ _ i _ _
n h a d l c i a	_ _ a _ _ _ _ _
l s a c s r u e	_ _ _ s _ _ _ _
é t n a m i e	_ _ _ _ _ _ e

LE SERRURIER

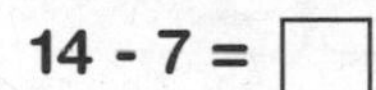

14 - 7 = ☐ 11 + 7 = ☐ 7 + 8 = ☐

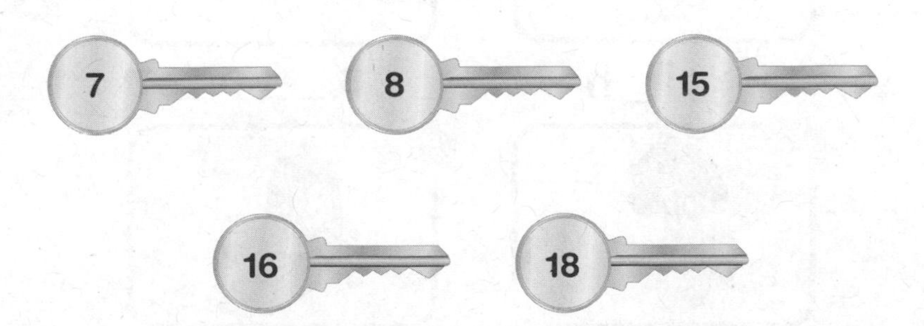

Connais-tu l'organisme ?

Quel est le titre du livre de recettes au profit d'Opération Enfant Soleil qui a été lancé en 2011 ?

a. *Les saveurs du bonheur*
b. *Les petits délices*
c. *Les recettes Soleil*

Réponse : a. Les saveurs du bonheur

LE TRADUCTEUR

VEGETABLES

Mushroom	**Carrot**	**Pimento**
Onion	**Celery**	**Garlic**

1

__r__t

2

G___i_

3

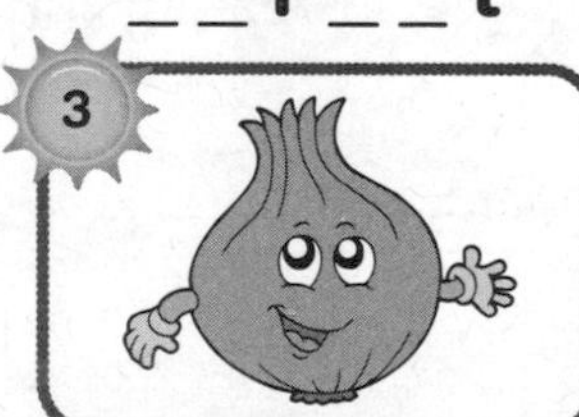

__i_n

4

__s__o_m

5

_e__r_

6

P___n__

LE JUMEAU

1. 

2. 

3. 

4. 

TORNADES DE LETTRES

MOTS ENTRECROISÉS

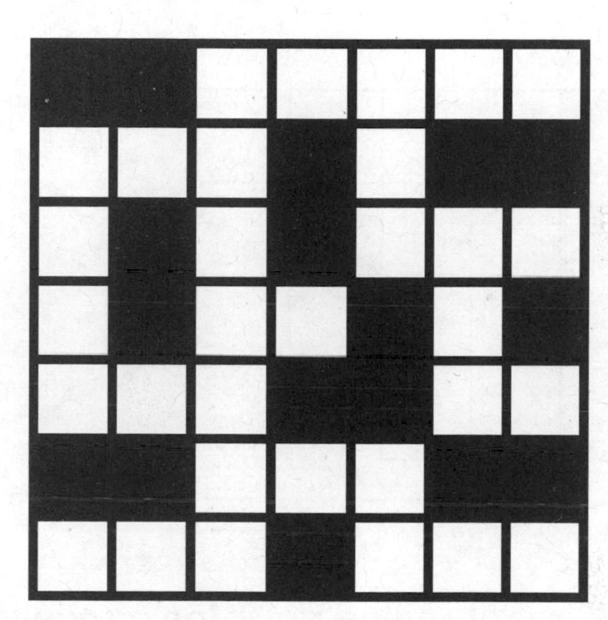

2
Là
Te
Tu

3
Air
Eau
Est
Ici
Ils
Lit
Peu
Sel

4
Pois

5
Chien

7
Cuiller

MOT DANS L'OMBRE

1						
2						
3						
4						

Aliment utilisé pour les sandwichs

1 On l'élève pour ses œufs.
2 Appui, assistance, soutien.
3 Contraire de pure.
4 Qui équivaut à zéro.

MOTS CACHÉS

C	P	A	N	T	H	E	R	E
R	I	V	I	E	R	E	Z	L
O	E	B	R	H	U	T	T	E
C	E	J	U	N	G	L	E	P
O	B	A	N	A	N	E	A	H
D	V	O	L	C	A	N	R	A
I	I	S	I	N	G	E	B	N
L	G	I	R	A	F	E	R	T
E	S	A	U	V	A	G	E	S

Arbre
Banane
Crocodile
Éléphant
Girafe
Hutte
Jungle
Lion
Panthère
Rivière
Sauvages
Singe
Volcan

Mot de 5 lettres :

____

POINT EN POINT

7
6 • 8
5 • 9
4 • 3
1 • 2 • 10 • 11 • 12 • 13 • 14 • 15 • 16 • 17 • 18 • 19 • 20 • 21 • 22 • 23 • 24 • 25 • 26 • 27 • 28 • 29 • 30 • 31 • 32 • 33 • 34 • 35 • 36 • 37 • 38 • 39 • 40 • 41 • 42 • 43 • 44 • 45 • 46 • 47 • 48 • 49 • 50 • 51 • 52 • 53 • 54 • 55 • 56 • 57 • 58 • 59 • 60 • 61 • 62

Connais-tu l'organisme ?

Vrai ou faux ? Des milliers de collectes de fonds pour Opération Enfant Soleil sont réalisées chaque année ?

Réponse : Vrai

MOTS À DÉCOUVRIR

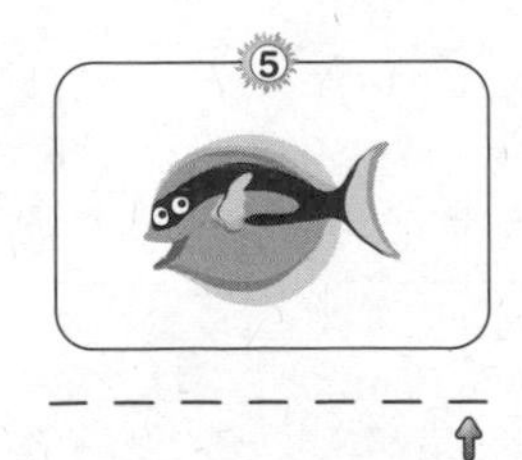

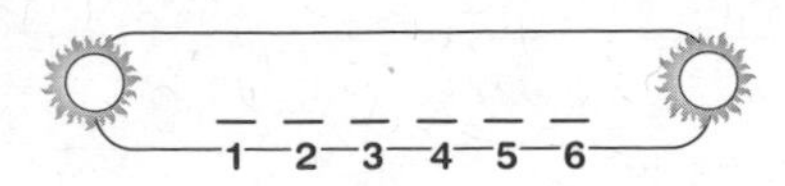

CODE SECRET

=A =B =C =D =E =F

=G =H =I =J =K =L

=M =N =O =P =Q =R

=S =T =U =V =W =X

=Y =Z

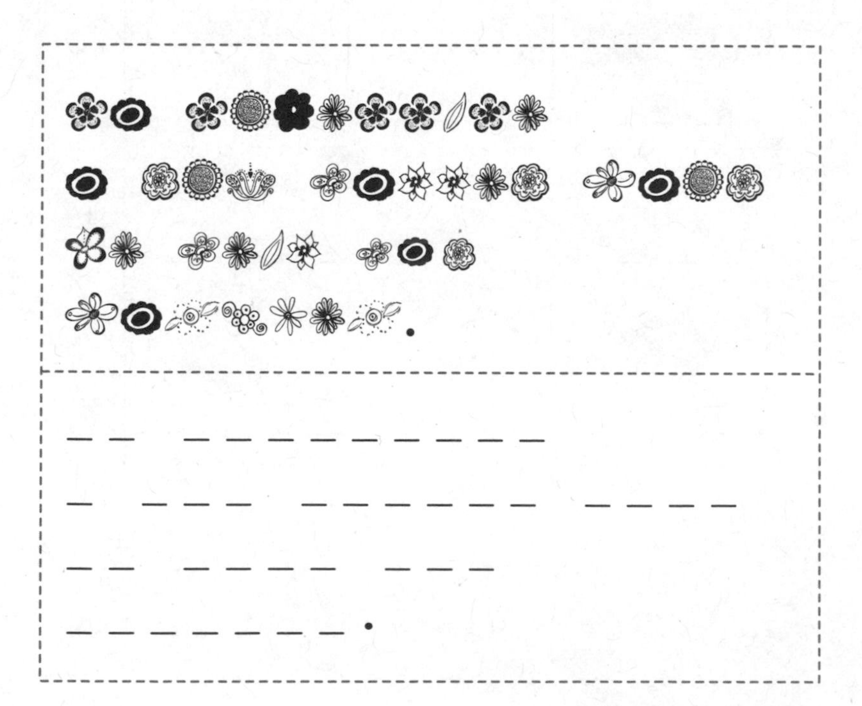

LABYRINTHE

Départ

Arrivée

SUDOKU

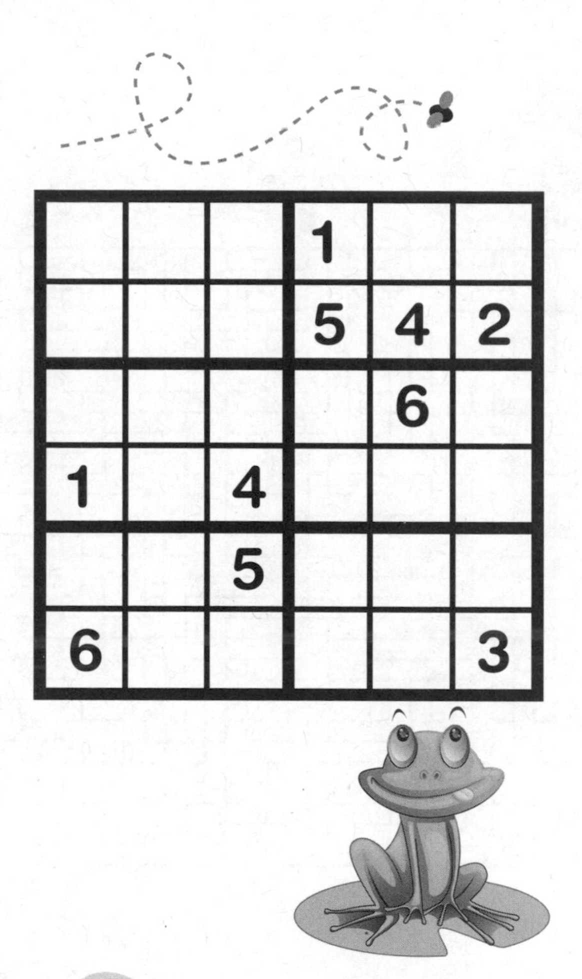

			1		
			5	4	2
				6	
1		4			
		5			
6					3

Connais-tu l'organisme?

Quel partenaire majeur appuie Opération Enfant Soleil depuis ses débuts?

Réponse : RE/MAX

LES ENSEMBLES

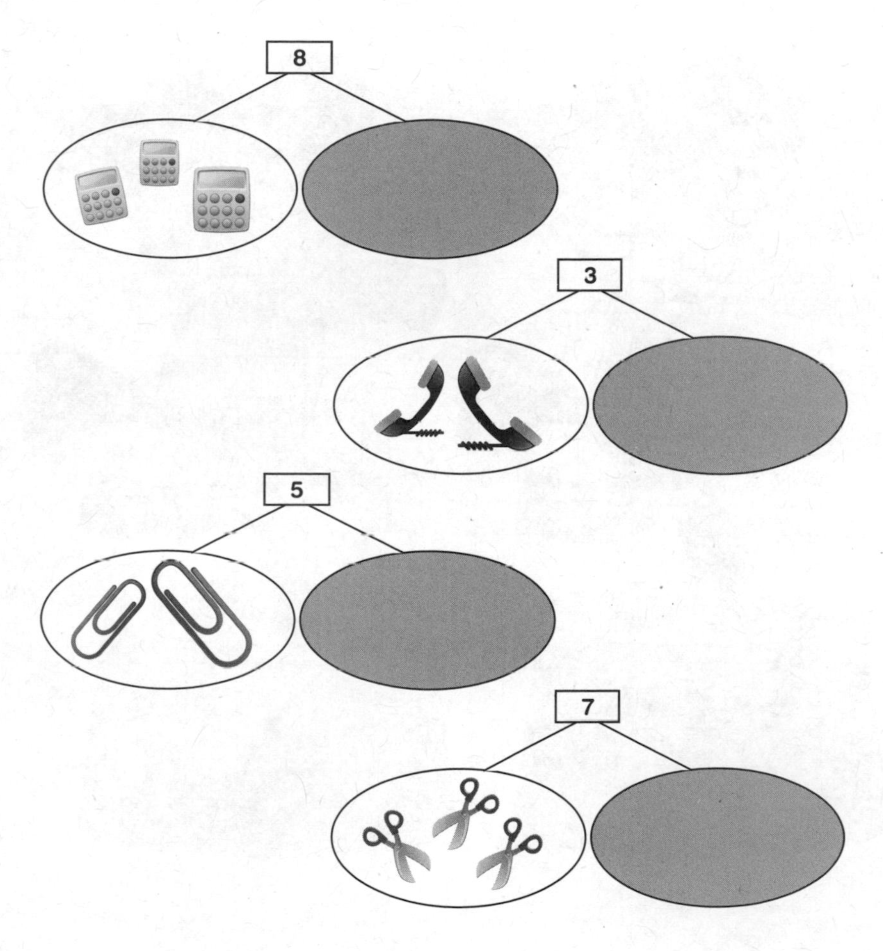

6 ERREURS

Connais-tu l'organisme ?

Quelle est la valeur de la Maison Enfant Soleil 2012 ?

a. 450 000 $
b. 1 million de dollars
c. 300 000 $

Réponse : a. 450 000 $

L'ARTISTE

L'HEURE

SUDOKU DESSINS

CARRÉ MAGIQUE

	16		
	54		
		10	77
			77
		77	

60 48 19 13
7 4

Connais-tu l'organisme ?

Vrai ou faux ? Des écoles peuvent être partenaires d'Opération Enfant Soleil et amasser des dons.

Réponse : Vrai

DESSIN À COLORIER

Connais-tu l'organisme ?

Combien coûte un billet de tirage de la Maison Enfant Soleil ?

a. 25 $
b. 10 $
c. 15 $

Réponse : b. 10 $

BINGO

I 20	G 58	G 56	B 11	B 5	N 43	O 62	O 72
I 16	N 36	G 60	G 57	B 13	I 28	N 38	N 33
B 12	B 14	I 22	O 63	G 53	G 59	O 64	B 8
I 25	I 29	I 17	G 54	B 4	G 52	G 50	B 1
G 47	G 49	B 7	O 75	O 70	O 66	G 55	O 61

B	I	N	G	O
3	19	34	59	65
15	22	40	53	66
11	29	Gratuit	47	69
9	21	42	60	68
6	27	31	56	72

PARFAITE ORTHOGRAPHE

- ◯ VIOLLON
- ◯ VIOLON
- ◯ VHIOLONG

LE DOUBLE

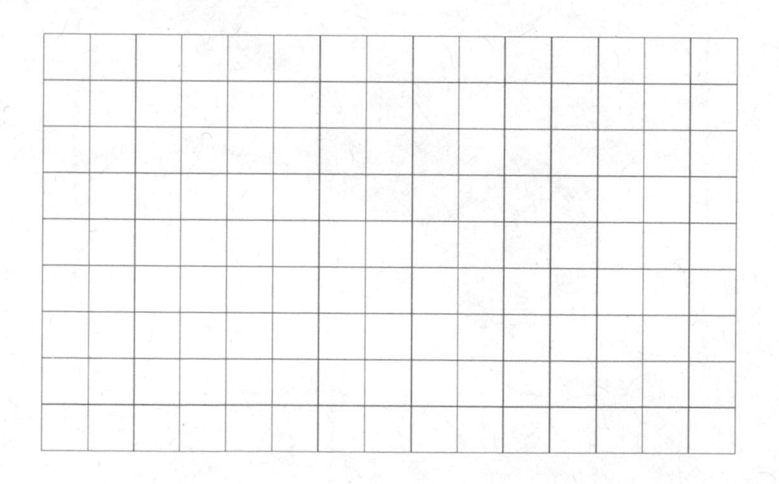

MÉLI-MÉLO

BANANE

Connais-tu l'organisme?

Vrai ou faux ? Des garderies peuvent être partenaires d'Opération Enfant Soleil et amasser des dons.

Réponse : Vrai

SYMÉTRIE

BOURRASQUES DE MOTS

isepnrcse ____c____

oècsrier ______r_

icenpsi _i_____

iésroe s_____

invaemti ___a____

LE SERRURIER

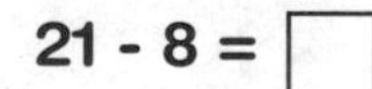

21 - 8 = ☐ 8 + 9 = ☐ 14 + 5 = ☐

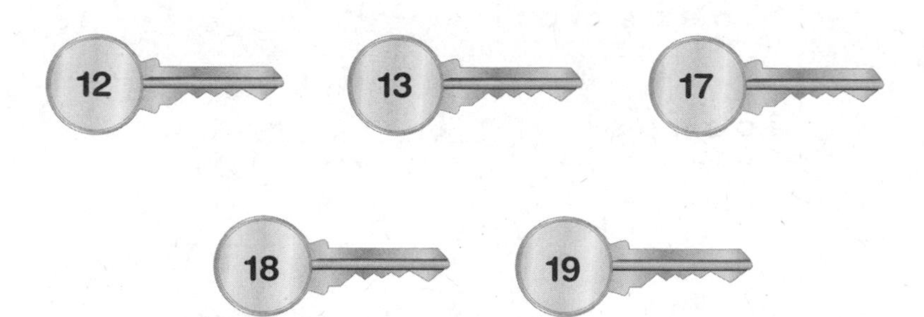

Connais-tu l'organisme?

Combien de bureaux compte Opération Enfant Soleil?

a. 2 (1 à Québec et 1 à Montréal)
b. 1 (à Québec)
c. 4 (1 à Québec, 1 à Montréal, 1 à Sherbrooke et 1 à Trois-Rivières)

Réponse : a. 2 (1 à Québec et 1 à Montréal)

LE TRADUCTEUR

GARDENING

Gloves	Planter	Hose
Cutter	Wheelbarrow	Watering

LE JUMEAU

1.

2.

3.

4.

TORNADES DE LETTRES

MOTS ENTRECROISÉS

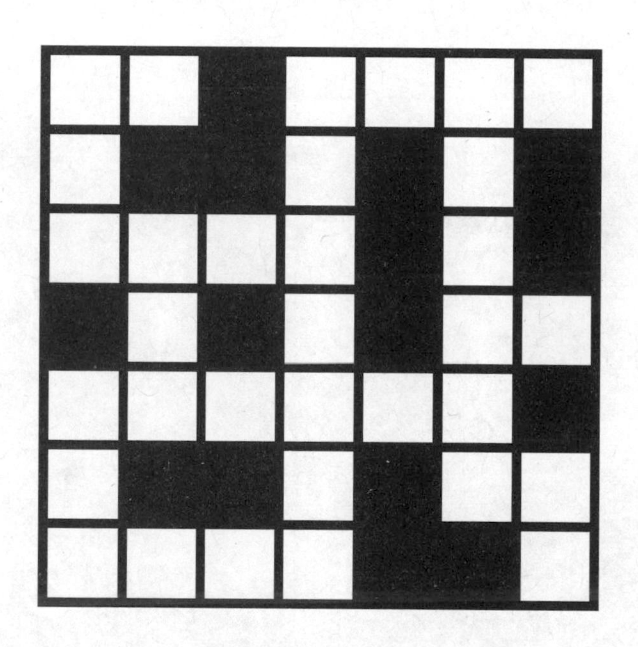

2
An
Ce
Et
Te

3
Cas
Oie
Sel

4
Aide
Lire
Soir

6
Départ
Servir

7
Arrivée

MOT DANS L'OMBRE

1								
2								
3								
4								

Couleur du ciel

1 Couleur de la terre.
2 Faire une lecture.
3 Mettre dans un cadre.
4 Qui est pressant.

MOTS CACHÉS

P	I	E	U	V	R	E	C	D
H	R	E	Q	U	I	N	O	A
U	C	C	A	R	T	E	R	U
I	T	R	E	S	O	R	A	P
T	A	N	A	P	C	R	I	H
R	M	E	R	B	A	E	L	I
E	B	U	L	L	E	L	A	N
P	O	I	S	S	O	N	M	U
E	A	N	G	U	I	L	L	E

Anguille
Bulle
Carte
Corail
Crabe
Dauphin
Eau
Huître
Mer
Palme
Pieuvre
Poisson
Requin
Trésor

Mot de 5 lettres :

____

POINT EN POINT

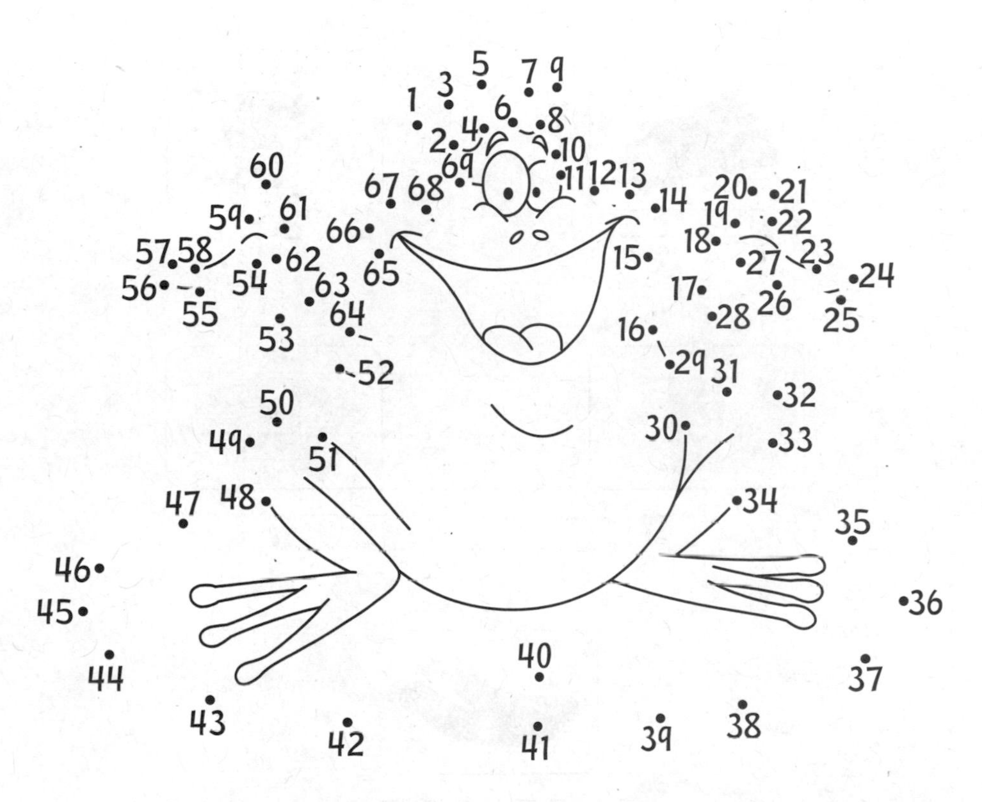

Connais-tu l'organisme?

Qui peut être partenaire d'Opération Enfant Soleil?

a. Des entreprises
b. Des écoles primaires, des écoles secondaires, des cégeps et des universités
c. Des clubs sociaux, des clubs de loisirs et des clubs de services
d. Des individus ou des groupes d'individus
e. Des centres de la petite enfance, des garderies et des services de garde
f. Toutes ces réponses

Réponse : f. Toutes ces réponses

MOTS À DÉCOUVRIR

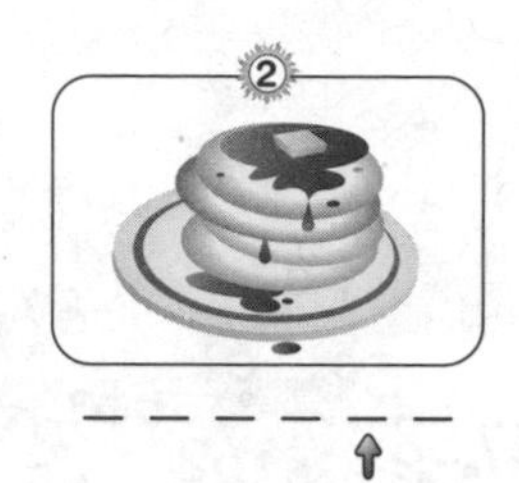

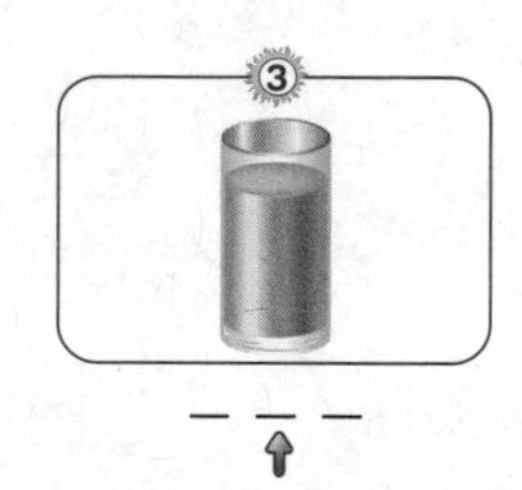

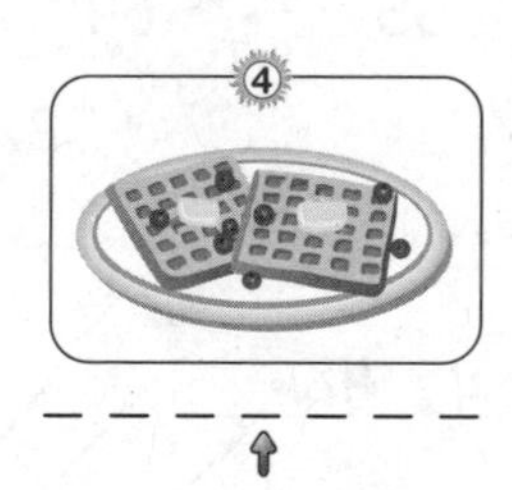

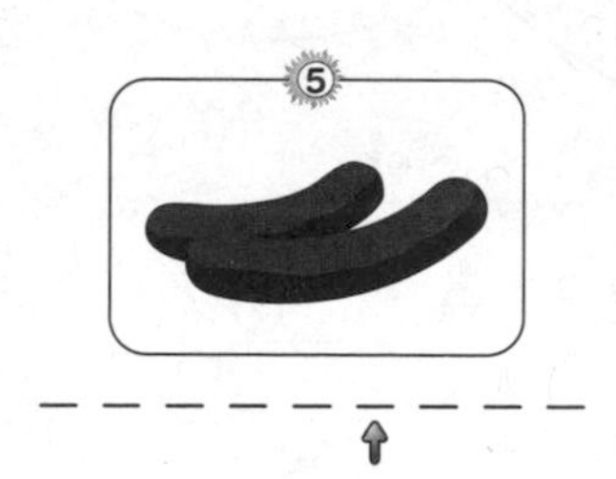

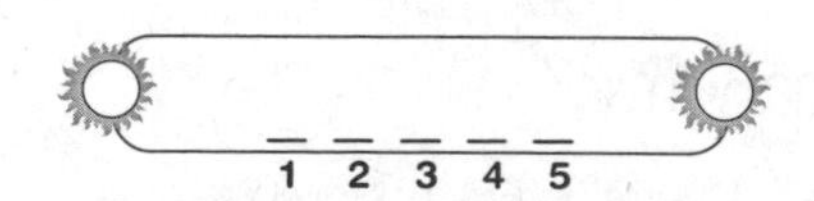

CODE SECRET

= A = B = C = D = E = F

= G = H = I = J = K = L

= M = N = O = P = Q = R

= S = T = U = V = W = X

= Y = Z

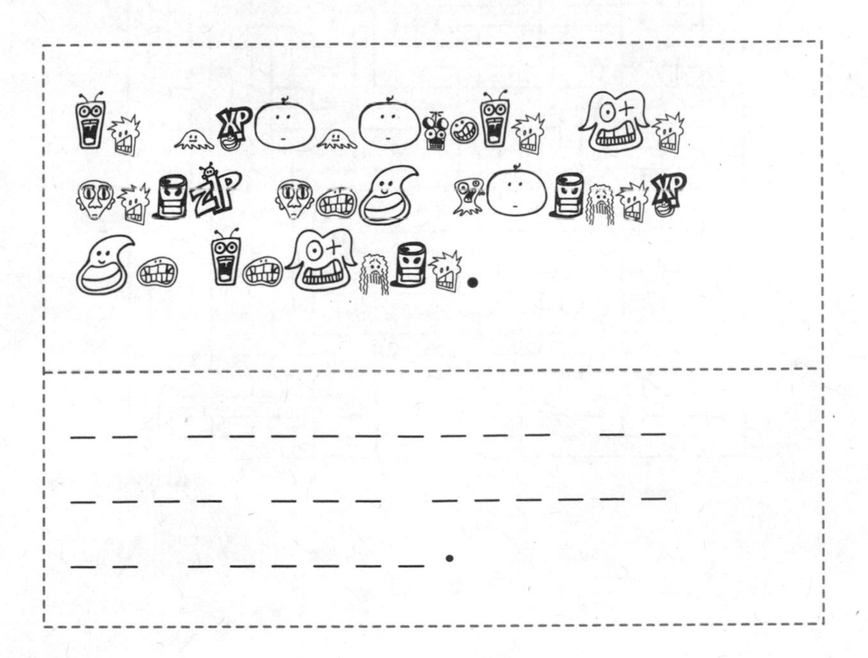

LABYRINTHE

Départ

Arrivée

SUDOKU

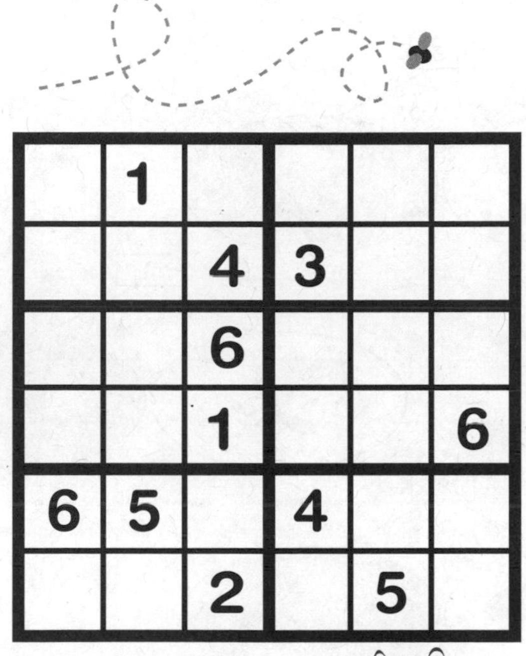

	1				
		4	3		
		6			
		1			6
6	5		4		
		2		5	

Connais-tu l'organisme ?

Combien d'enfants reçoivent des soins dans l'un des quatre grands centres pédiatriques des régions de Montréal, de Québec et de Sherbrooke ?

a. 1 800 enfants par jour
b. 1 200 enfants par semaine
c. 3 400 enfants par mois

Réponse : a. 1 800 enfants par jour

LES ENSEMBLES

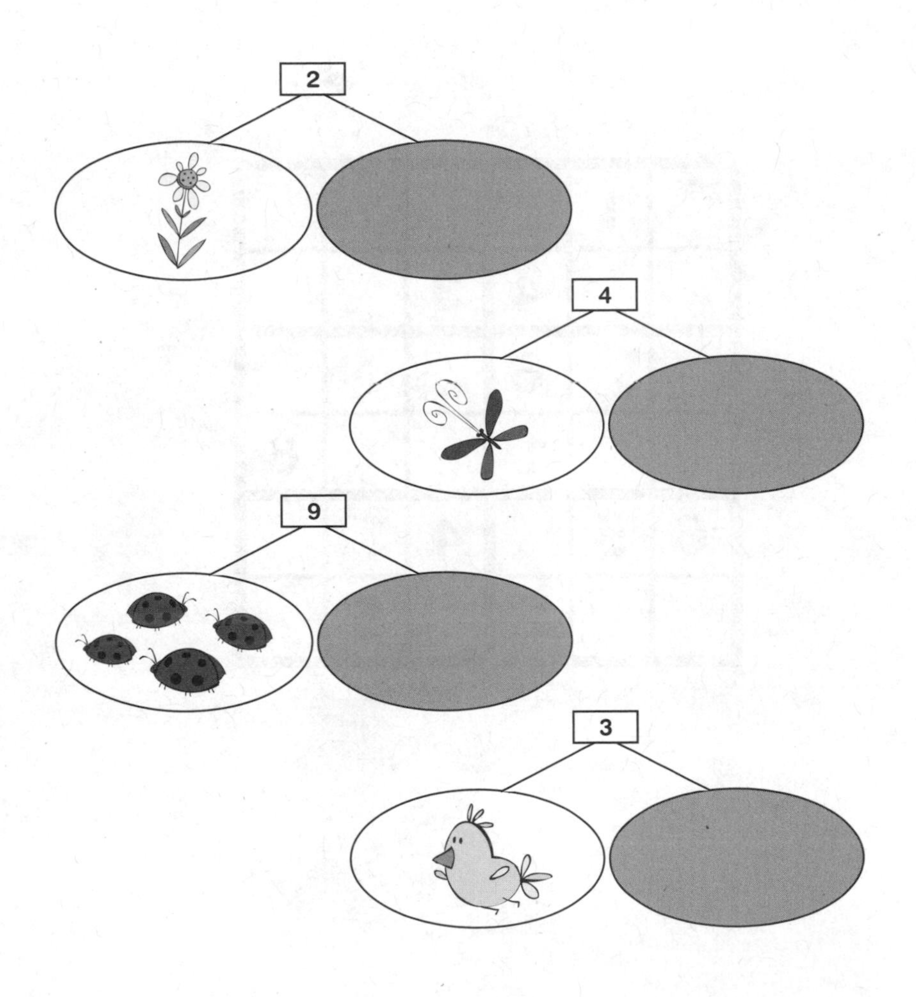

6 ERREURS

Connais-tu l'organisme?

Vrai ou faux? La Maison Enfant Soleil est toujours construite dans la grande région de Montréal.

Réponse : Faux

L'ARTISTE

L'HEURE

SUDOKU DESSINS

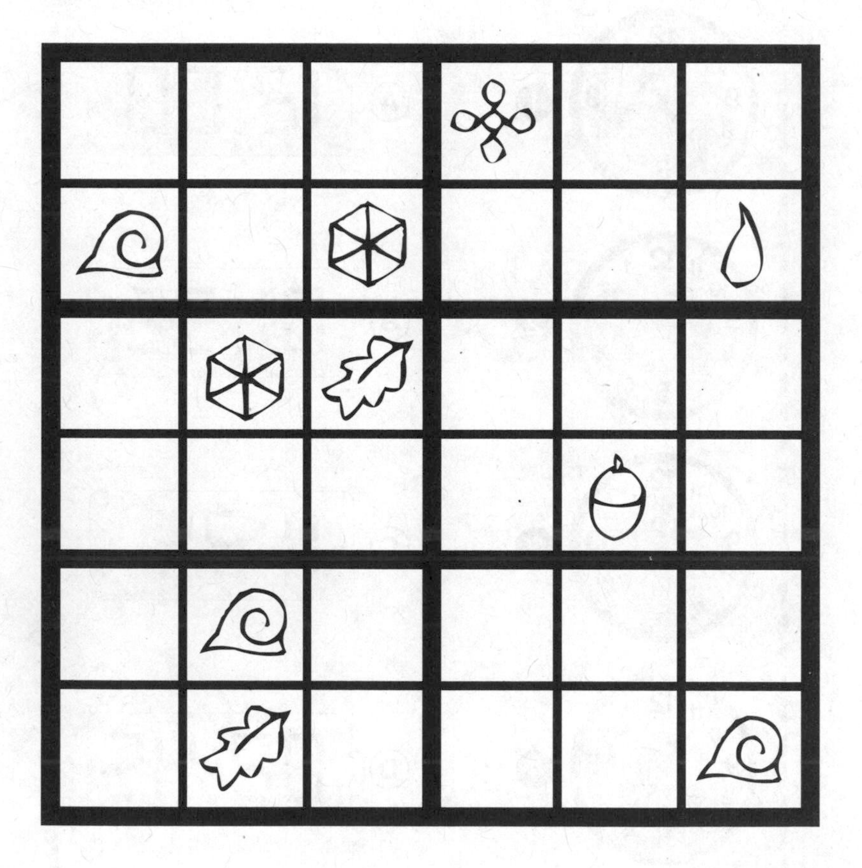

CARRÉ MAGIQUE

27	8		
		19	79
			79
		79	

44 38 33 30
22 16

Connais-tu l'organisme?

Vrai ou faux? Sur l'ensemble des enfants soignés dans l'un des quatre grands centres pédiatriques des régions de Montréal, de Québec et de Sherbrooke, un sur deux viennent d'une autre région du Québec.

Réponse : Vrai

DESSIN À COLORIER

Connais-tu l'organisme ?

Vrai ou faux ? Lors du Téléthon, un animateur présente chacune des pièces de la Maison Enfant Soleil aux téléspectateurs.

Réponse : Vrai

BINGO

G 46	I 30	B 4	N 41	N 42	O 67	B 14	G 57
N 44	B 1	O 74	B 2	O 65	B 15	O 70	O 71
G 53	I 18	N 34	O 72	O 63	I 20	G 56	I 28
G 58	B 6	O 62	B 8	B 5	B 11	N 43	N 32
B 3	B 9	O 73	G 50	O 61	N 31	N 35	O 64

B	I	N	G	O
1	24	37	53	68
2	26	33	54	67
11	20	Gratuit	48	75
3	16	36	50	73
8	25	39	49	62

PARFAITE ORTHOGRAPHE

○ CACULATRICE

○ CACULLATRICE

○ QUACULATRICE

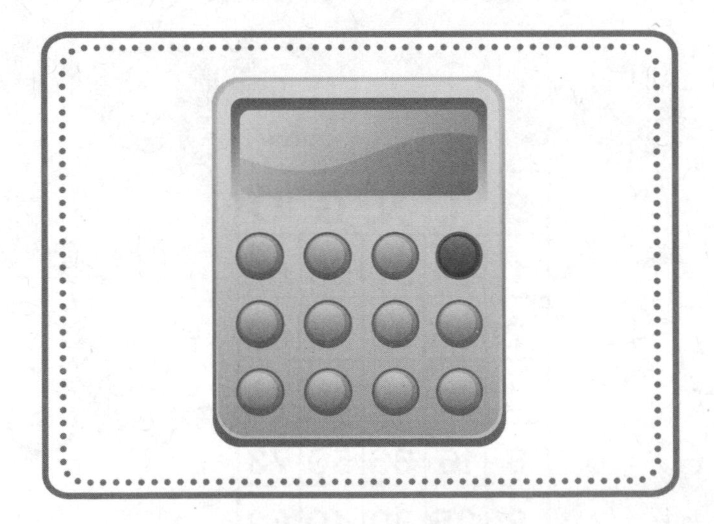

LE DOUBLE

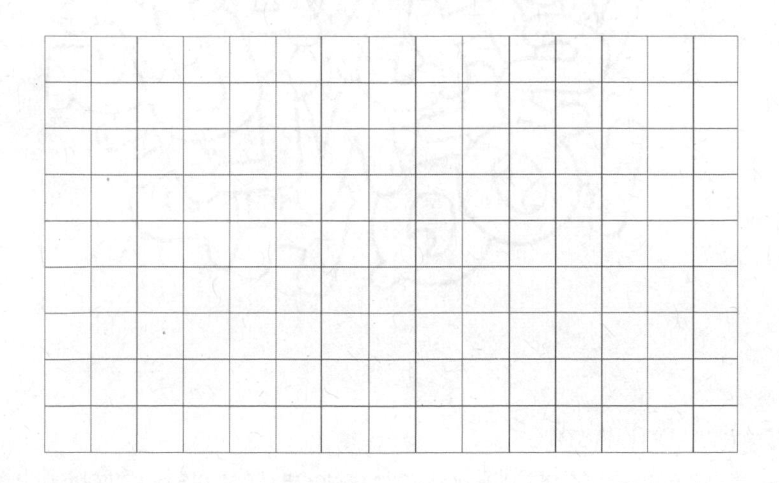

MÉLI-MÉLO

BIJOU

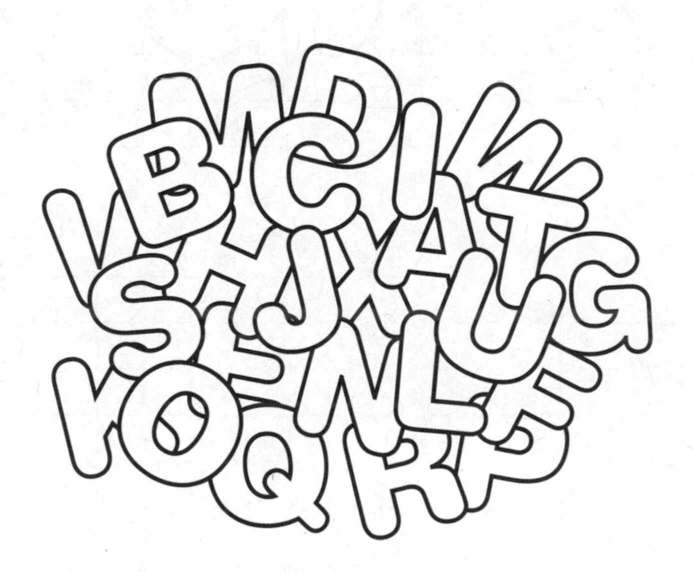

Connais-tu l'organisme?

Chaque année, Opération Enfant Soleil honore le courage d'enfants qui affrontent la maladie. Ces Enfants Soleil…

a. proviennent des 18 régions du Québec
b. deviennent des ambassadeurs de la cause
c. racontent leur histoire lors du Téléthon et de divers événements de collecte de fonds
d. Toutes ces réponses

Réponse : d. Toutes ces réponses

SYMÉTRIE

BOURRASQUES DE MOTS

itshoeri ___t____

amstjeé m______

gamiear ____a__

cardmhna ____h___

vtanuere ______r_

LE SERRURIER

$22 - 18 = \square$

$14 + 6 = \square$

$17 - 8 = \square$

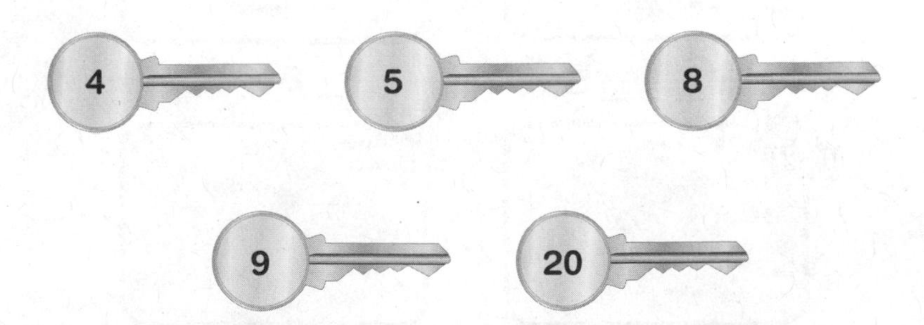

Connais-tu l'organisme ?

Quel est le nom de la dégustation de prestige qui a lieu à Montréal chaque année au profit d'Opération Enfant Soleil ?

a. Les Fous Gourmands
b. Les Amuses-gueules
c. Les Fins goûteurs

Réponse : a. Les Fous Gourmands

LE TRADUCTEUR

BIRTHDAY

Fireworks	**Cake**	**Gifts**
Balloons	**Hats**	**Clown**

1

_ a _ e

2

_ _ o _ n

3

G _ _ _ s

4

_ a _ s

5

_ _ l _ _ _ n _

6

_ _ _ e _ _ r _ _

LE JUMEAU

1. 

2. 

3. 

4. 

TORNADES DE LETTRES

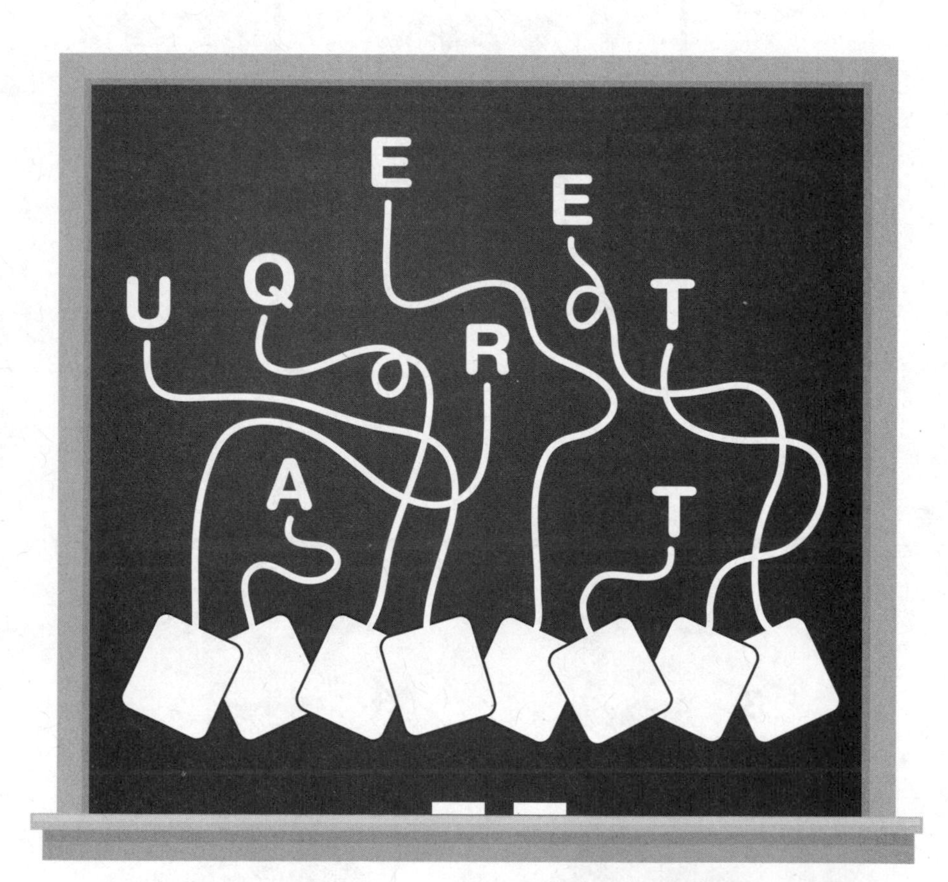

MOTS ENTRECROISÉS

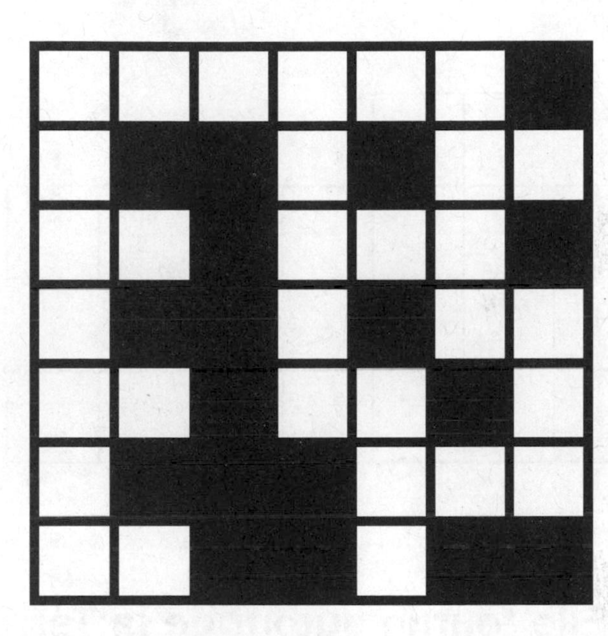

2
De
Et
Là
Se
Te
Un

3
Ail
Est
Son
Ton

4
Elle

5
Quand

6
Banque

7
Biscuit

MOT DANS L'OMBRE

1							
2							
3							
4							

Elle tourne autour de la Terre

1 Règle établie par une autorité.
2 Ensemble de tout ce qui existe.
3 Maison pour les oiseaux.
4 Outil destiné à recevoir des chocs.

MOTS CACHÉS

C	A	R	R	O	S	O	I	R
A	H	L	E	G	U	M	E	C
B	L	A	C	H	O	U	E	R
A	O	F	P	F	P	R	O	O
N	T	T	L	E	R	O	U	C
O	R	A	T	E	A	U	T	H
N	R	N	T	E	U	U	I	E
J	A	R	D	I	N	R	E	T
G	B	R	O	U	E	T	T	E

Arrosoir
Botte
Brouette
Cabanon
Chapeau
Chou
Fleur
Fruit
Gant
Jardin
Légume
Pot
Râteau
Roche
Terre

Mot de 7 lettres :

____

POINT EN POINT

Connais-tu l'organisme ?

Combien y a-t-il d'Enfants Soleil chaque année ?

Réponse : Il y a 18 Enfants Soleil, un pour chaque région administrative du Québec.

MOTS À DÉCOUVRIR

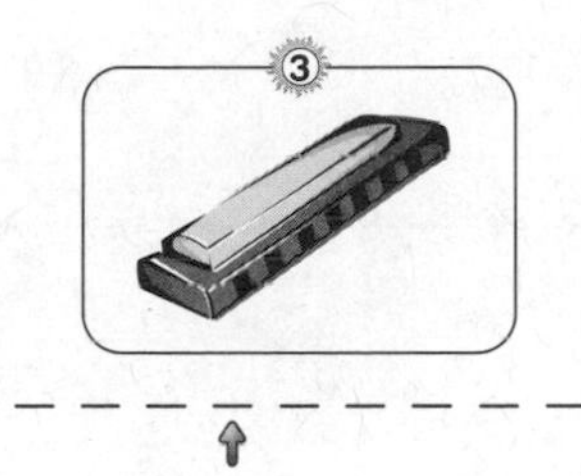

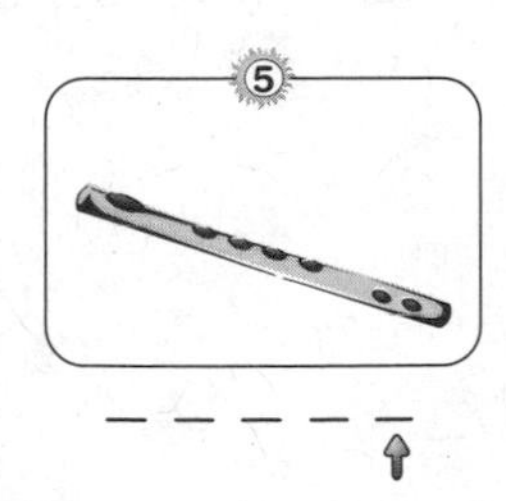

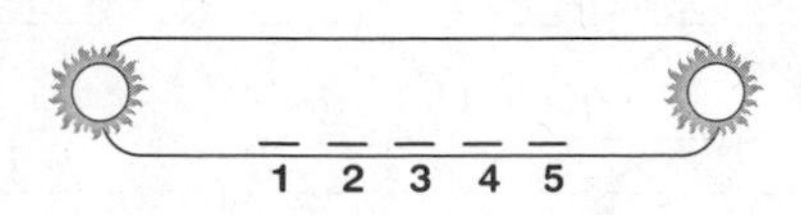

CODE SECRET

= A = B = C = D = E = F

= G = H = I = J = K = L

= M = N = O = P = Q = R

= S = T = U = V = W = X

= Y = Z

'é

é

_ _ _ _ _ _ _ _ _

_ ' é _ _ _ _ _ _ _ _ _

_ _ _ _ _ _ _ é _ _ _ _ _ _ _

_ _ _ _ _ _ _ _ _ .

LABYRINTHE

Départ

Arrivée

SUDOKU

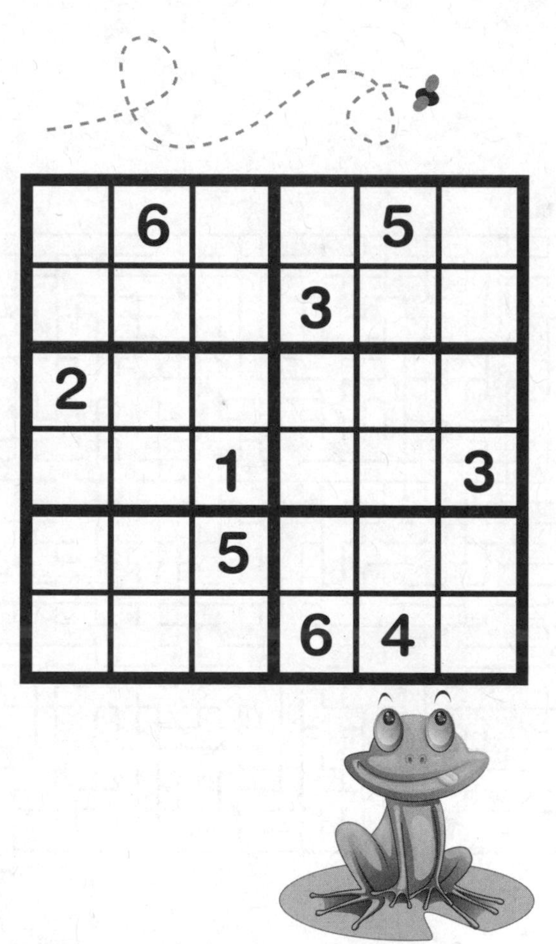

	6			5	
			3		
2					
		1			3
		5			
			6	4	

Connais-tu l'organisme?

Vrai ou faux ? Il y a un Enfant Soleil pour chacune des régions administratives du Québec chaque année.

Réponse : Vrai

LES ENSEMBLES

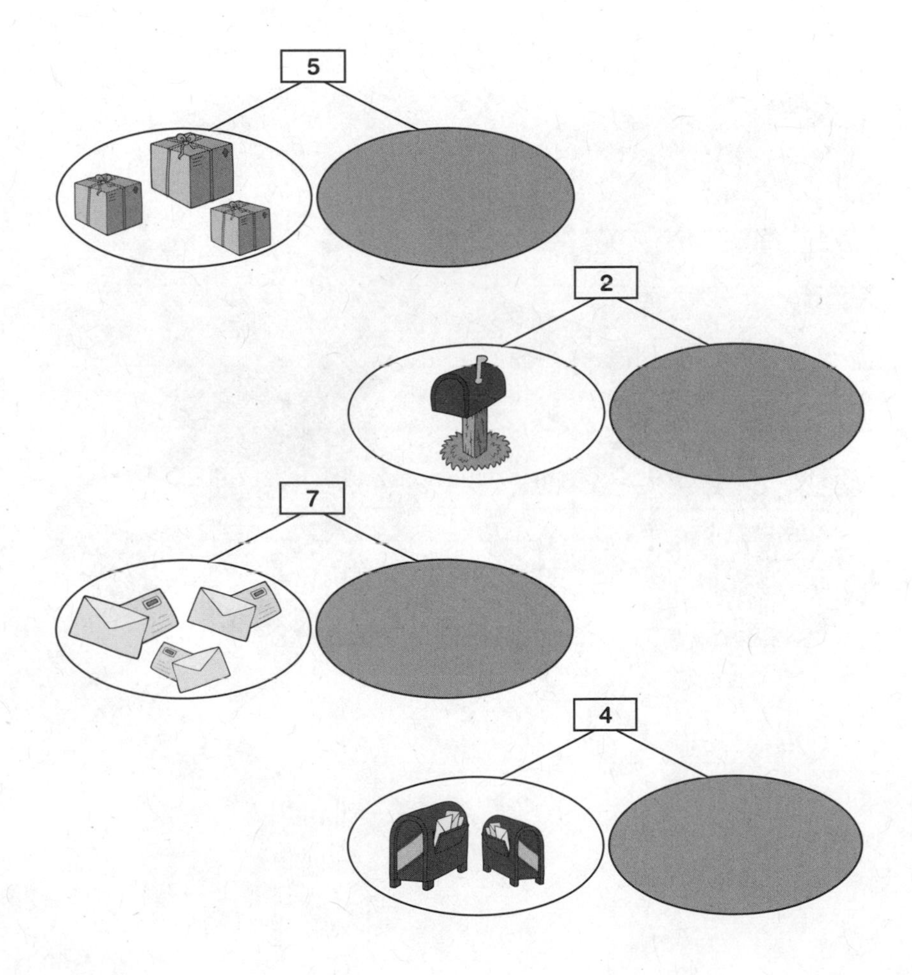

6 ERREURS

Connais-tu l'organisme ?

Vrai ou faux ? Opération Enfant Soleil fait tirer deux Maisons Enfant Soleil par année.

Réponse : Faux

L'ARTISTE

L'HEURE

SUDOKU DESSINS

CARRÉ MAGIQUE

35		1
		24

81 (rangée du bas) — 81 (diagonale) — 81 (colonne de droite)

56 45 34 23
13 12

Connais-tu l'organisme ?

Quel âge ont les Enfants Soleil ?

a. entre 5 et 12 ans
b. moins de 10 ans
c. 17 ans et moins

Réponse : c. 17 ans et moins

DESSIN À COLORIER

Connais-tu l'organisme?

En quelle année a eu lieu la première édition du tirage de la Maison Enfant Soleil?

a. 1993
b. 2003
c. 1999

Réponse : a. 1993

BINGO

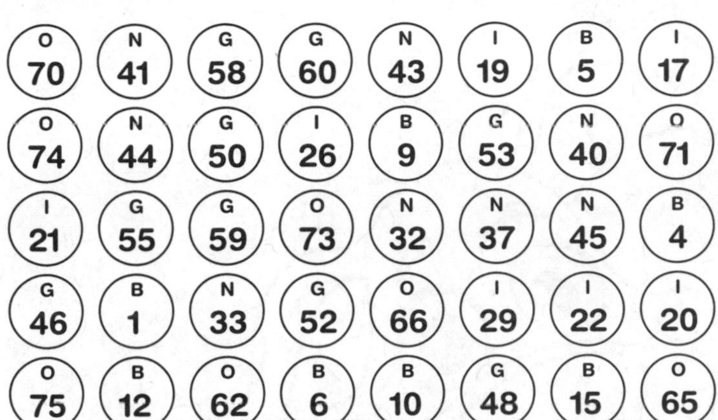

B	I	N	G	O
3	30	36	58	74
7	16	34	50	75
14	21	Gratuit	56	65
8	18	31	59	66
6	27	37	53	70

PARFAITE ORTHOGRAPHE

◯ **PAUMME**

◯ **POME**

◯ **POMME**

LE DOUBLE

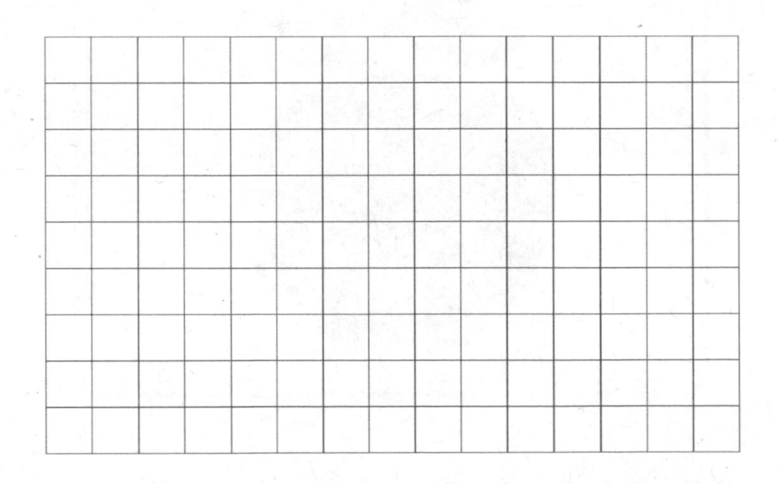

MÉLI-MÉLO

AMOUR

Connais-tu l'organisme ?

Quelle est la plus importante collecte de fonds d'Opération Enfant Soleil ?

Réponse : Le Téléthon

SYMÉTRIE

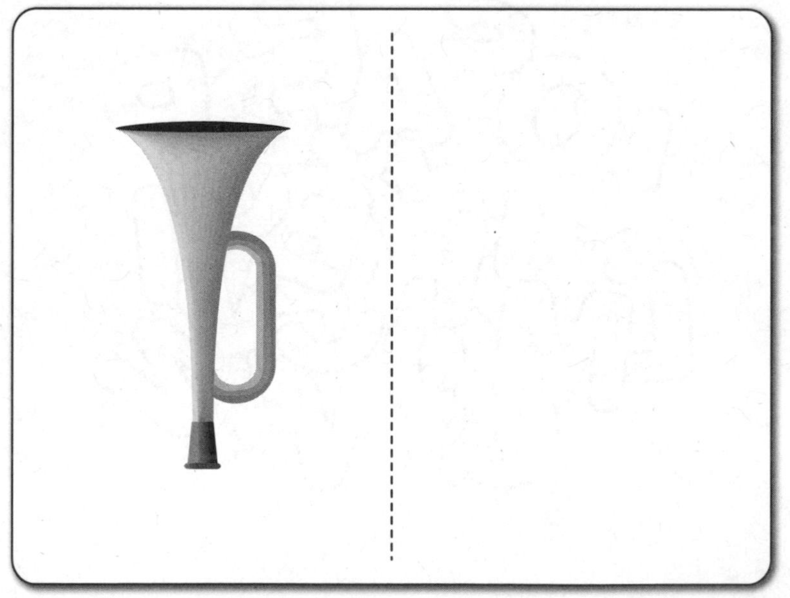

BOURRASQUES DE MOTS

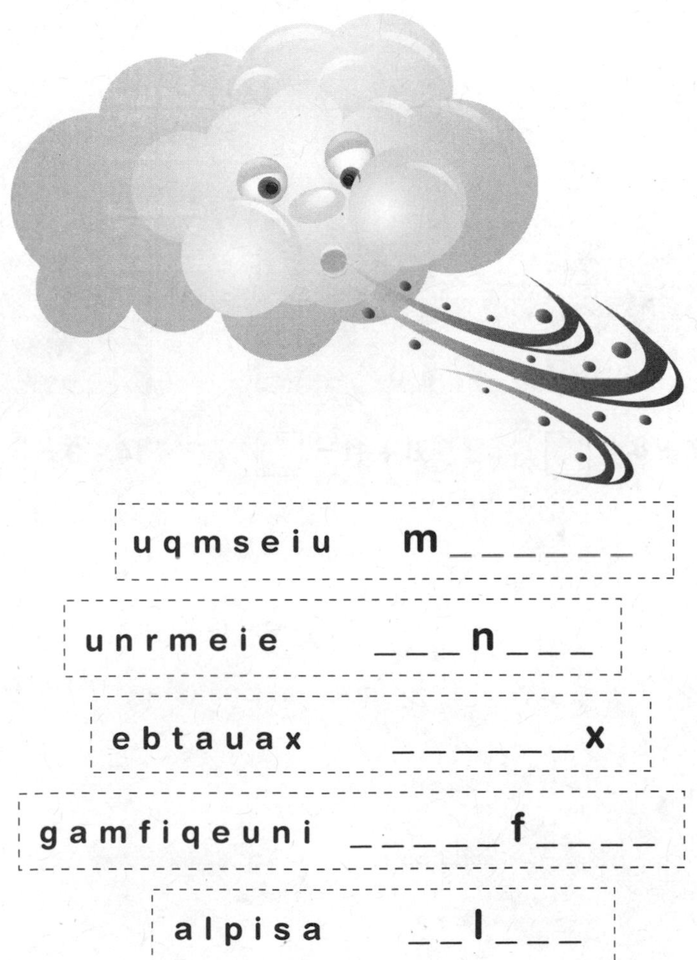

uqmseiu	m_ _ _ _ _ _
unrmeie	_ _ _ n _ _ _
ebtauax	_ _ _ _ _ _ x
gamfiqeuni	_ _ _ _ _ f _ _ _ _
alpisa	_ _ l _ _ _

LE SERRURIER

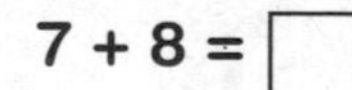

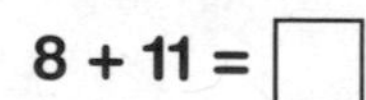

14 - 3 = ☐

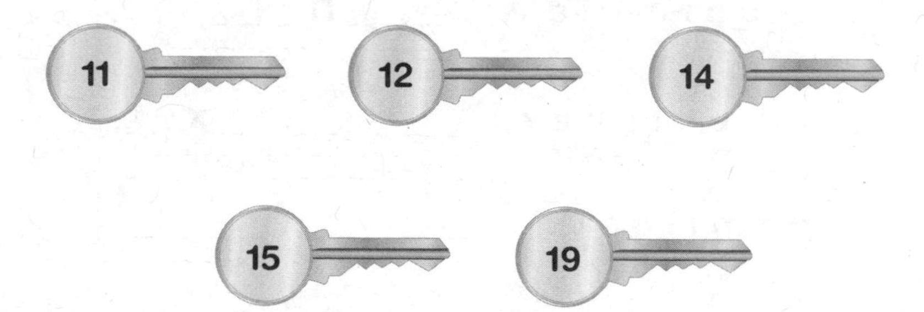

Connais-tu l'organisme ?

Quel est le nom de la dégustation de prestige qui a lieu à Québec chaque année ?

a. Les Toqués du vin
b. les Adeptes du vin
c. Les Petites Bouchées

Réponse : a. Les Toqués du vin

LE TRADUCTEUR

MUSIC INSTRUMENTS

Lyra	Guitar	Maracas
Trumpet	Drum	Accordion

1

_ _ _ a _ _ s

2

L _ _ a

3

_ _ u _ _ e _

4

D _ _ m

5

_ _ c _ _ d _ _ _

6

_ u _ _ a _

LE JUMEAU

1.

2.

3.

4.

TORNADES DE LETTRES

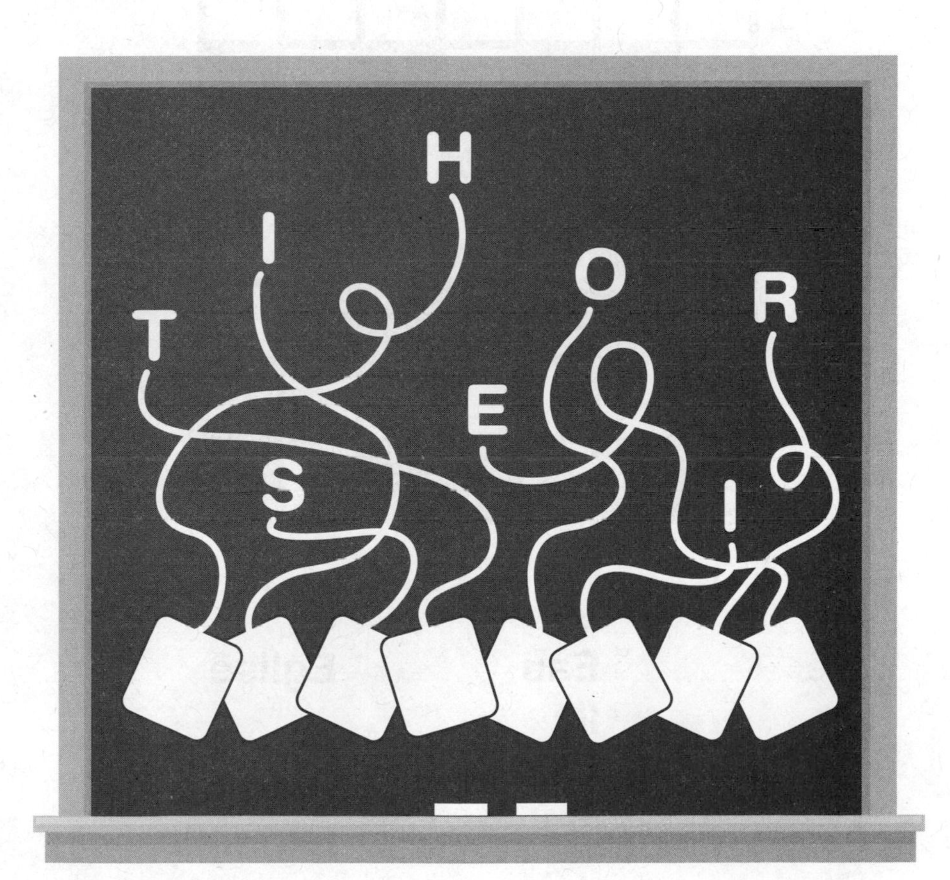

MOTS ENTRECROISÉS

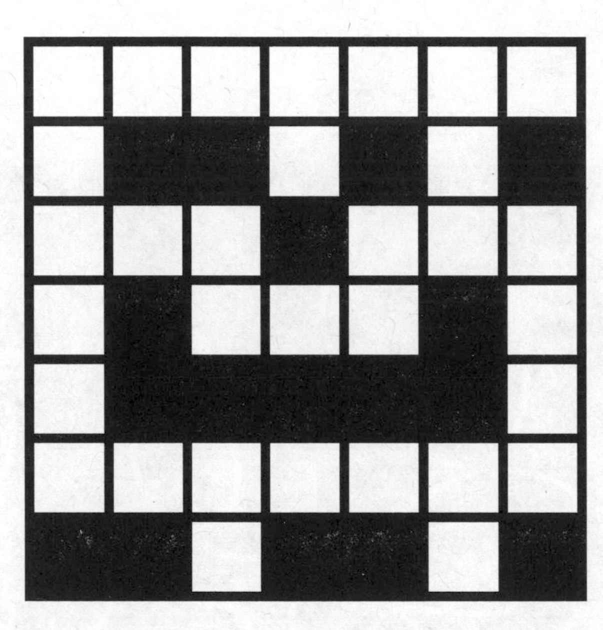

2
De
Et
Là
Os
Si

3
Eau
Ils
Les
Oui

4
Idée

6
Église

7
Étudier
Exemple

MOT DANS L'OMBRE

1							
2							
3							
4							

Petit citron de couleur verte

1 **Qui est grand et mince.**
2 **Qui n'est pas utile.**
3 **Immense étendue d'eau salée.**
4 **Prendre avec soi.**

MOTS CACHÉS

B	A	D	M	I	N	T	O	N
S	R	S	T	E	N	N	I	S
O	A	P	X	G	L	A	C	E
U	J	O	U	E	U	R	B	K
L	B	R	P	B	Q	U	A	I
I	E	T	T	A	U	T	L	M
E	G	O	L	F	T	T	L	O
R	B	A	T	O	N	I	O	N
H	O	C	K	E	Y	E	N	O

Badminton
Ballon
Bâton
Boxe
But
Glace
Golf
Hockey
Joueur
Kimono
Patin
Soulier
Sport
Tennis

Mot de 8 lettres :

____

POINT EN POINT

Connais-tu l'organisme?

Vrai ou faux? Durant le Téléthon, les Enfants Soleil sont accueillis dans une loge spécialement aménagée pour eux.

Réponse : Vrai

MOTS À DÉCOUVRIR

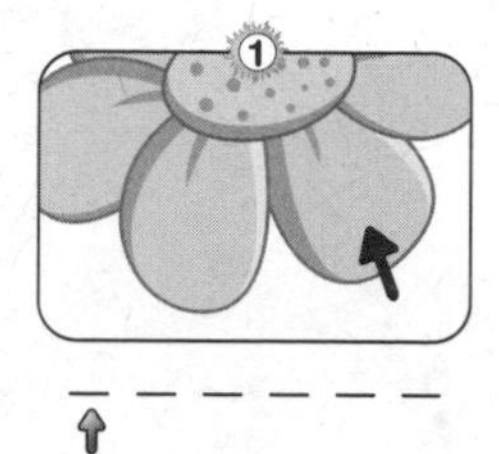

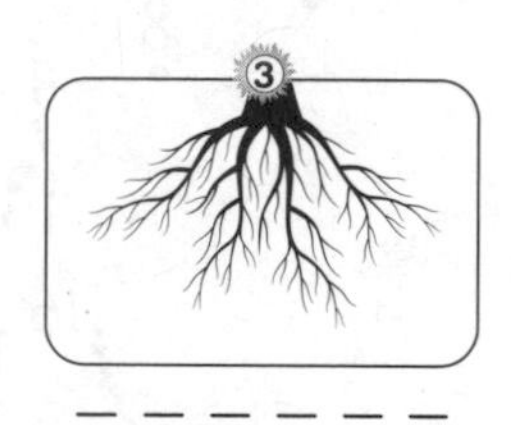

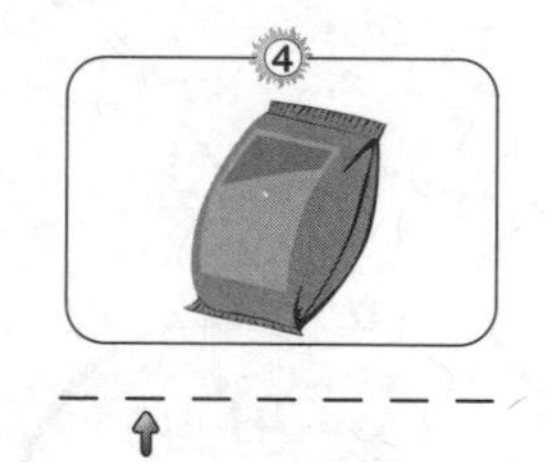

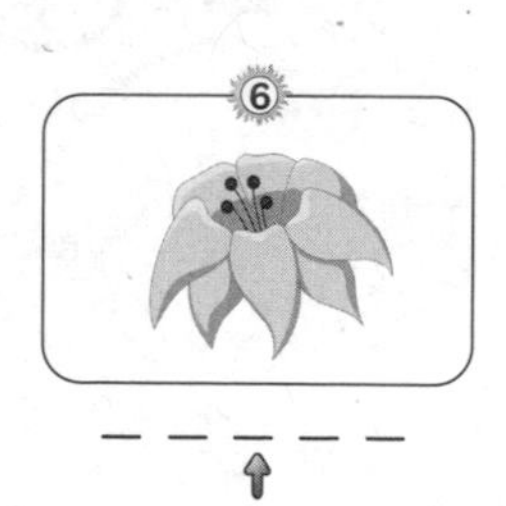

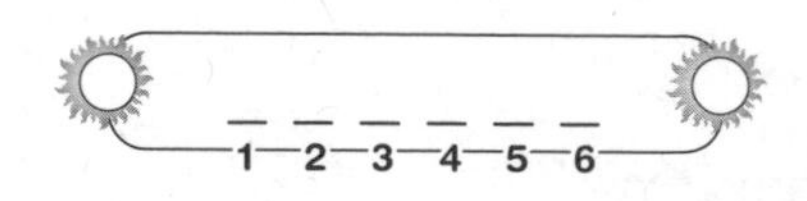

CODE SECRET

= A = B = C = D = E = F

= G = H = I = J = K = L

= M = N = O = P = Q = R

= S = T = U = V = W = X

= Y = Z

_ _ _ _ _ _ _ _ _ _ _ _ _

_ _ _ _ _ _ _ _ _ _ _ _ _

_ _ _ _ _ _ _ _ _ _ _ _ _ _ _ .

LABYRINTHE

Départ

Arrivée

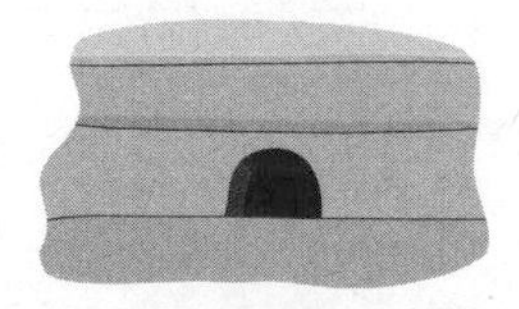

SUDOKU

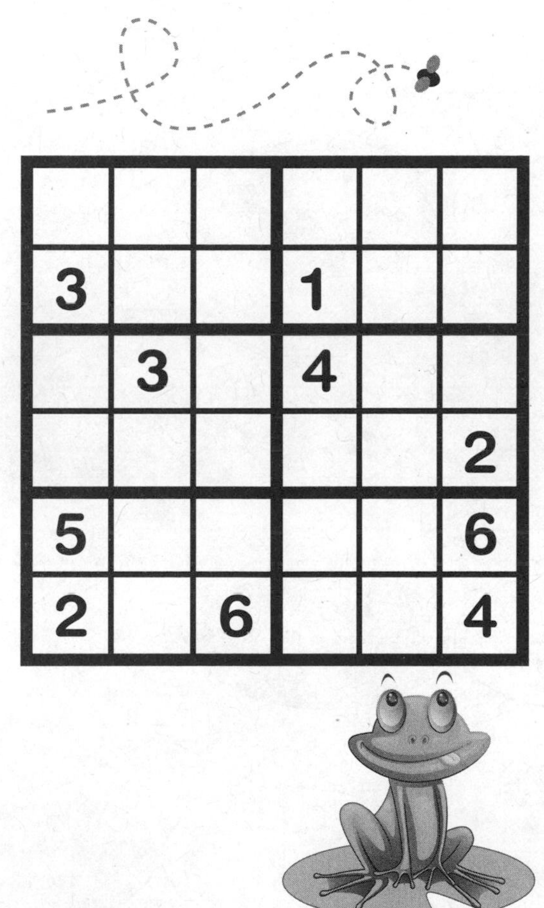

3			1		
	3		4		
					2
5					6
2		6			4

Connais-tu l'organisme ?

Vrai ou faux ? Pendant le Téléthon, les Enfants Soleil ne peuvent pas rencontrer leur artiste préféré.

Réponse : Faux

LES ENSEMBLES

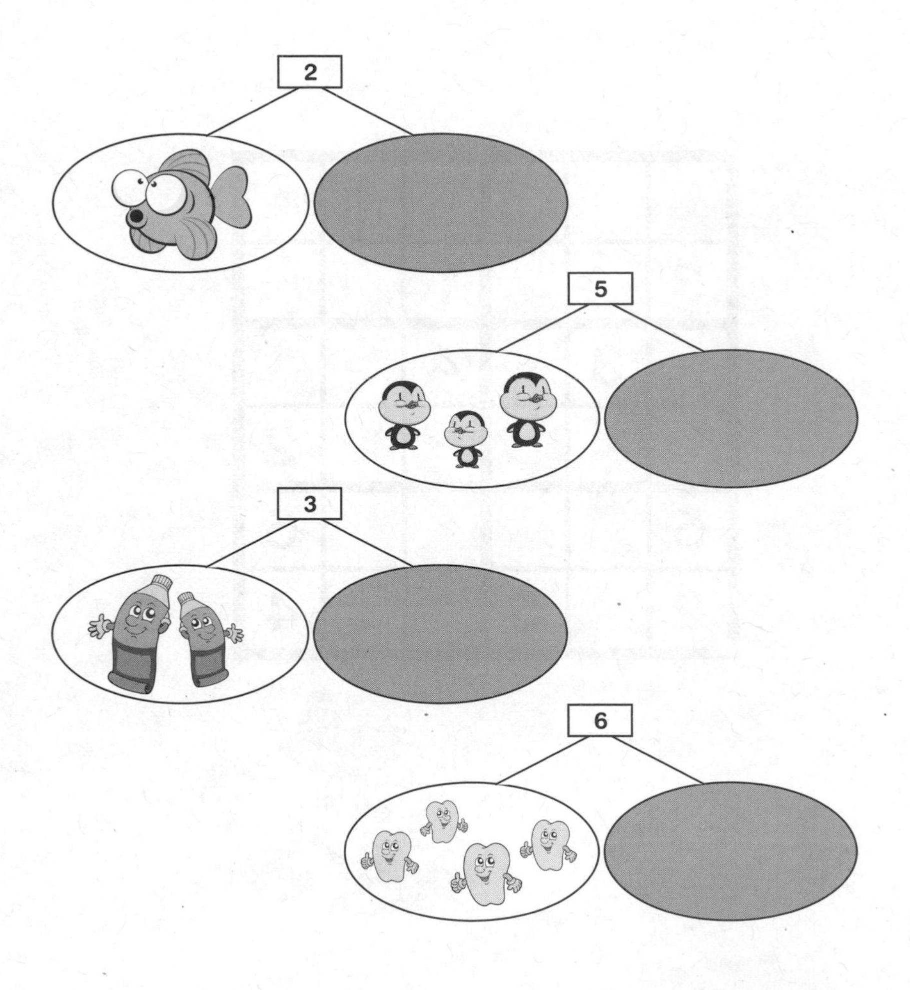

6 ERREURS

Connais-tu l'organisme?

Depuis la première édition, quelle somme d'argent les tirages des Maisons Enfant Soleil ont-ils permis d'amasser?

a. 12 millions de dollars
b. 10 millions de dollars
c. 8 millions de dollars

Réponse : a. 12 millions de dollars

L'ARTISTE

L'HEURE

SUDOKU DESSINS

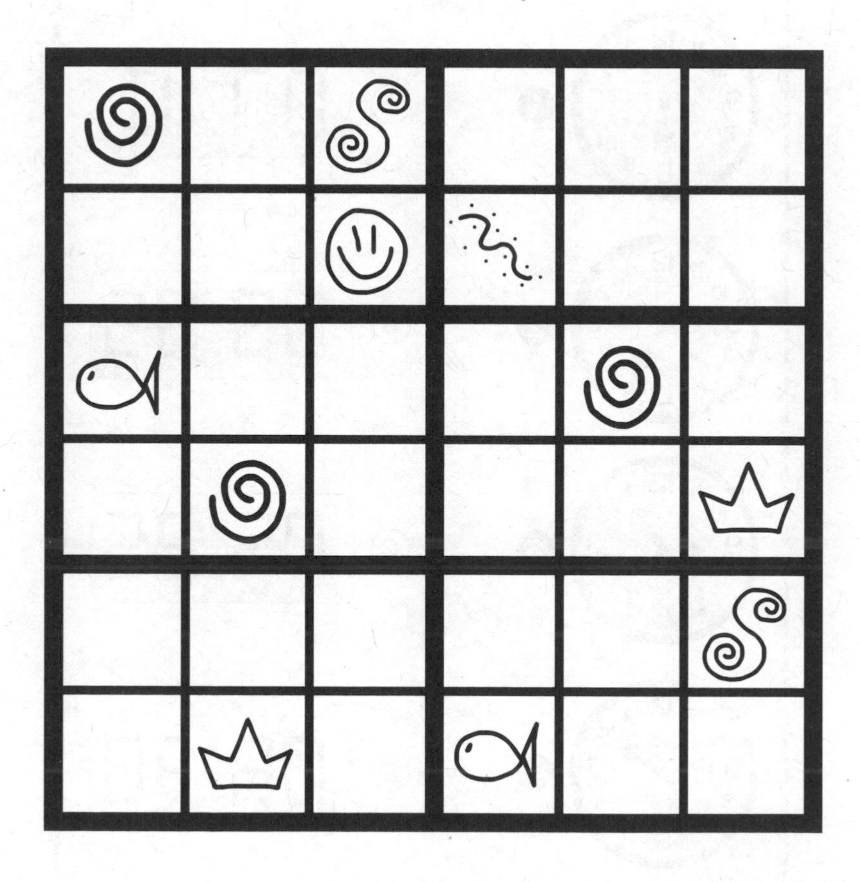

CARRÉ MAGIQUE

	34	
	36	30

82

82

82

44 40 26 16
12 8

Connais-tu l'organisme?

Vrai ou faux? Il y a un Téléthon Opération Enfant Soleil chaque année.

Réponse : Vrai

DESSIN À COLORIER

Connais-tu l'organisme ?

À quel moment a lieu le tirage de la Maison Enfant Soleil ?

Réponse : En juillet, en direct de l'émission Salut, Bonjour!, diffusée sur les ondes du réseau TVA

BINGO

O 64	G 47	G 48	B 15	I 25	O 68	O 67	N 43
I 19	I 24	I 18	B 10	N 41	N 35	N 31	I 26
B 7	N 44	B 8	I 29	N 45	G 53	B 13	B 11
B 9	O 66	N 42	G 57	N 38	G 49	O 65	G 51
G 54	N 36	I 22	I 20	O 61	B 4	O 73	O 71

B	I	N	G	O
4	29	32	58	69
5	27	39	56	68
11	30	Gratuit	48	63
14	21	37	60	71
8	19	35	53	66

PARFAITE ORTHOGRAPHE

○ **TABLO**

○ **TABLEAU**

○ **THABLOT**

LE DOUBLE

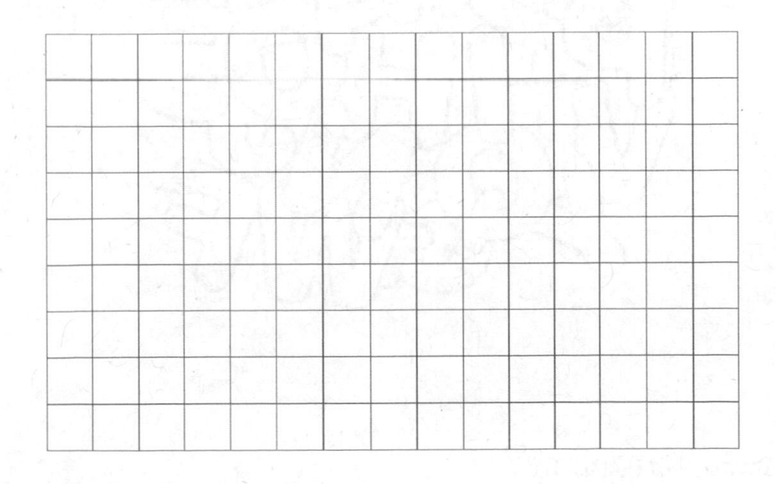

MÉLI-MÉLO

LAPIN

Connais-tu l'organisme?

Vrai ou faux? C'est au mois de septembre qu'est diffusé le Téléthon.

Réponse : Faux. Le Téléthon a lieu lors des mois de mai et/ou juin.

SYMÉTRIE

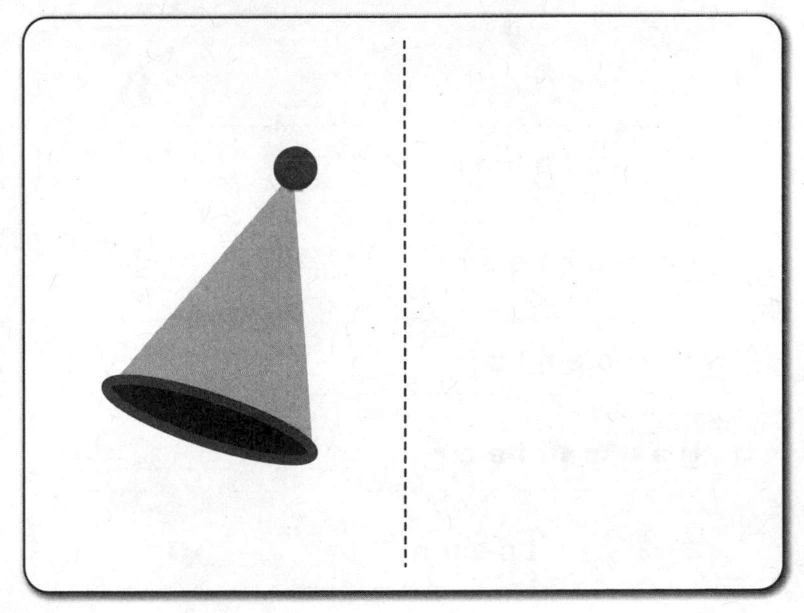

BOURRASQUES DE MOTS

inlabee **b______**

rmaniear **__r_____**

wlahoenle **_____w___**

gaumtrieer **____u_____**

ipsna **____n**

LE SERRURIER

12 + 4 = □

7 - 3 = □

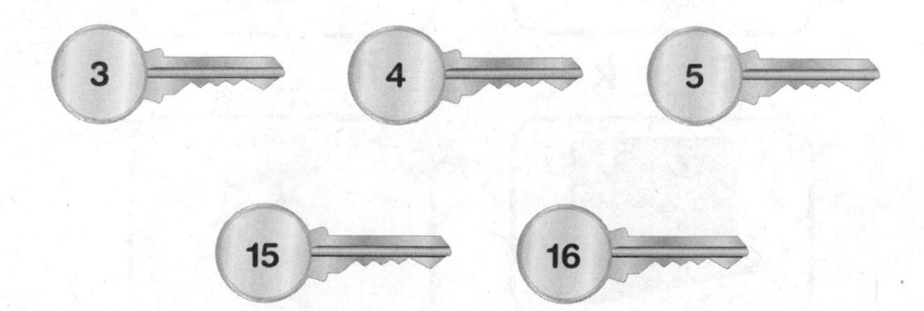

Connais-tu l'organisme?

Quel est le nom de l'activité organisée par Opération Enfant Soleil chaque année durant le mois de septembre?

a. La Classique de golf Opération Enfant Soleil
b. Le Grand Festival Opération Enfant Soleil
c. La Cueillette Opération Enfant Soleil

Réponse : a. La Classique de golf Opération Enfant Soleil

LE TRADUCTEUR

SCHOOL

Chalkboard	**School bus**	**Book**
Lunch	**Student**	**Calculator**

1

2
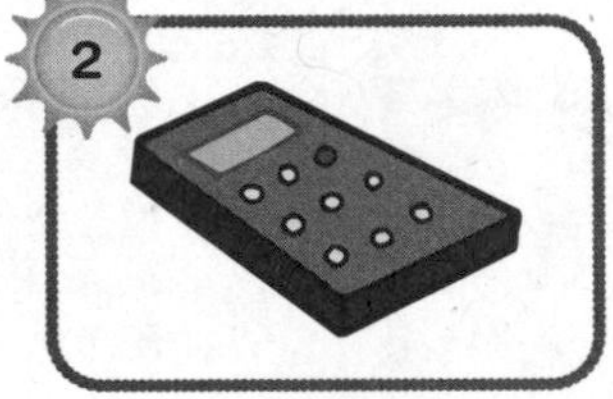

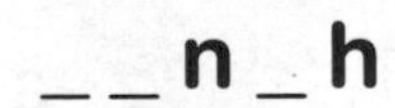

_ _ n _ h **C _ _ _ _ _ l _ _ _ _ _**

3

4

B _ _ k **_ _ h _ _ _ b _ _**

5

6

_ _ _ l _ _ o _ _ _ **_ t _ _ e _ _**

LE JUMEAU

1.

2.

3.

4.

TORNADES DE LETTRES

MOTS ENTRECROISÉS

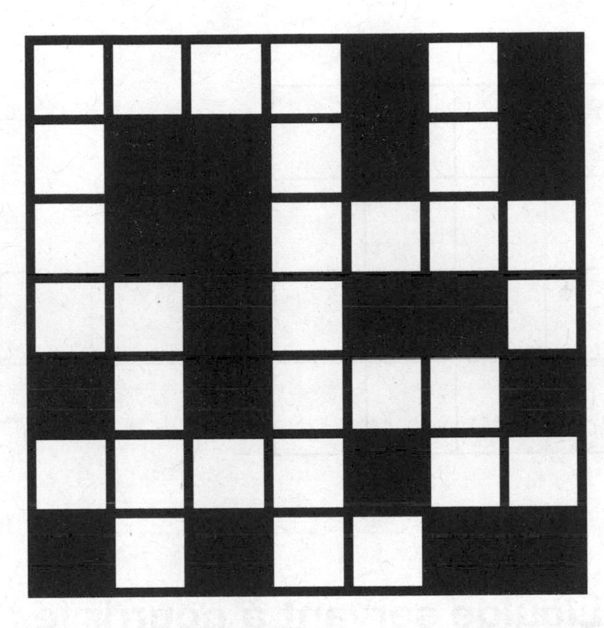

2
Et
Il
Le
Te
Un

3
Bar
Ici

4
Juin
Mort
Nous
Veau
Vous

7
Semaine

MOT DANS L'OMBRE

1							
2							
3							
4							

Liquide servant à nourrir les bébés

1 **Endroit, emplacement, localisation.**
2 **Ce que l'on respire.**
3 **Qui n'a pas d'odeur.**
4 **Il y en a plus qu'il n'en faudrait.**

MOTS CACHÉS

N	U	A	G	E	T	V	P	G
G	R	E	L	E	O	E	L	R
M	N	C	U	G	F	R	U	E
E	E	L	N	I	R	G	I	S
T	I	A	E	V	O	L	E	I
E	G	I	R	R	I	A	V	L
O	E	R	N	E	D	S	E	A
C	H	A	L	E	U	R	N	D
P	L	A	N	E	T	E	T	E

Chaleur
Éclair
Froid
Givre
Grêle
Grésil
Lune
Météo
Neige
Nuage
Planète
Pluie
Vent
Verglas

Mot de 7 lettres :

____

POINT EN POINT

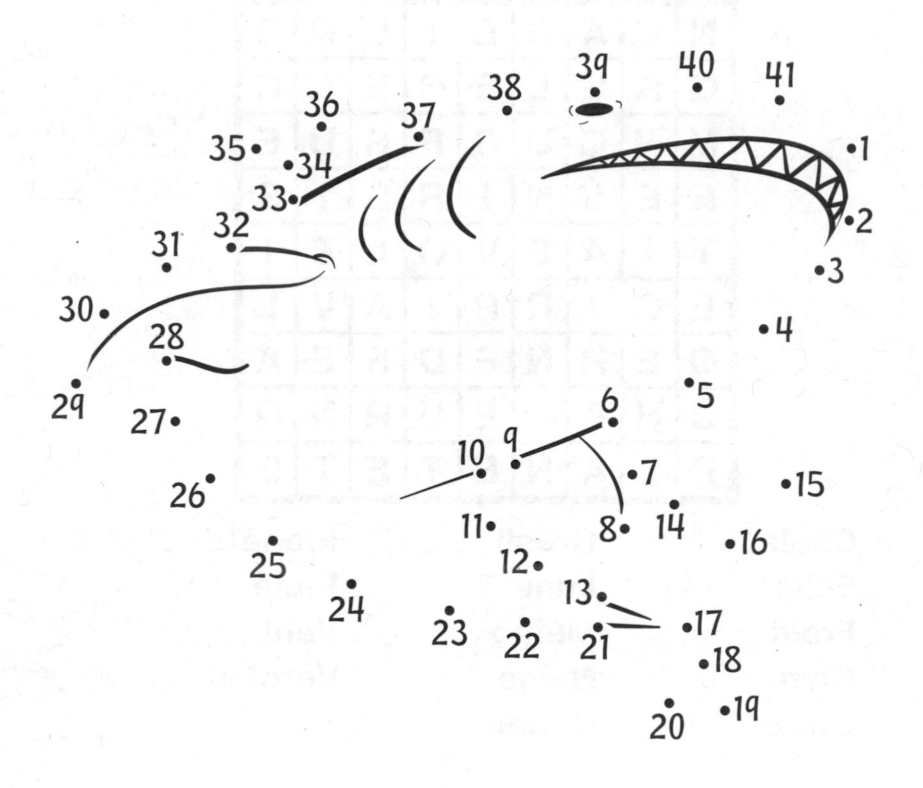

Connais-tu l'organisme?

Pendant combien d'heures consécutives est télédiffusé le Téléthon ?

a. 25 h
b. 6 h
c. 48 h

Réponse : a. 25 h

MOTS À DÉCOUVRIR

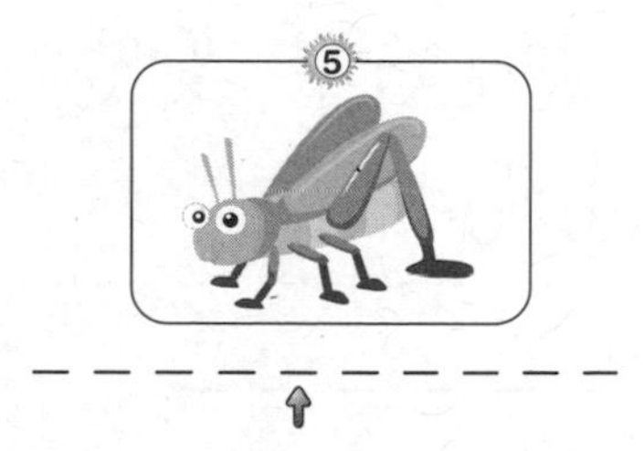

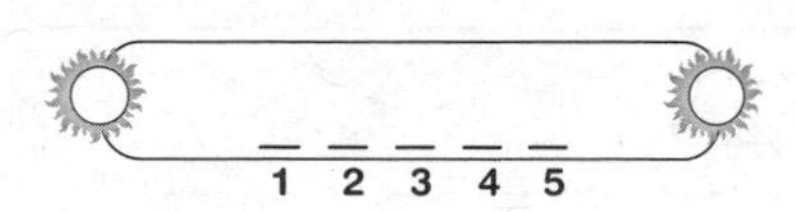

CODE SECRET

=A =B =C =D =E =F

=G =H =I =J =K =L

=M =N =O =P =Q =R

=S =T =U =V =W =X

=Y =Z

'

è

'

.

_ ' _ _ _ _ _ _ _ _ _ _ _

_ è _ _ _ _ _ _

_ _ _ _ _ _ _ _ ' _ _ _

_ _ _ _ _ _ .

LABYRINTHE

Départ

Arrivée

SUDOKU

	1				5
4					
		6		2	
			3		
				3	
	6				4

Connais-tu l'organisme?

Vrai ou faux? Le Téléthon est présenté devant un public.

Réponse : Vrai

LES ENSEMBLES

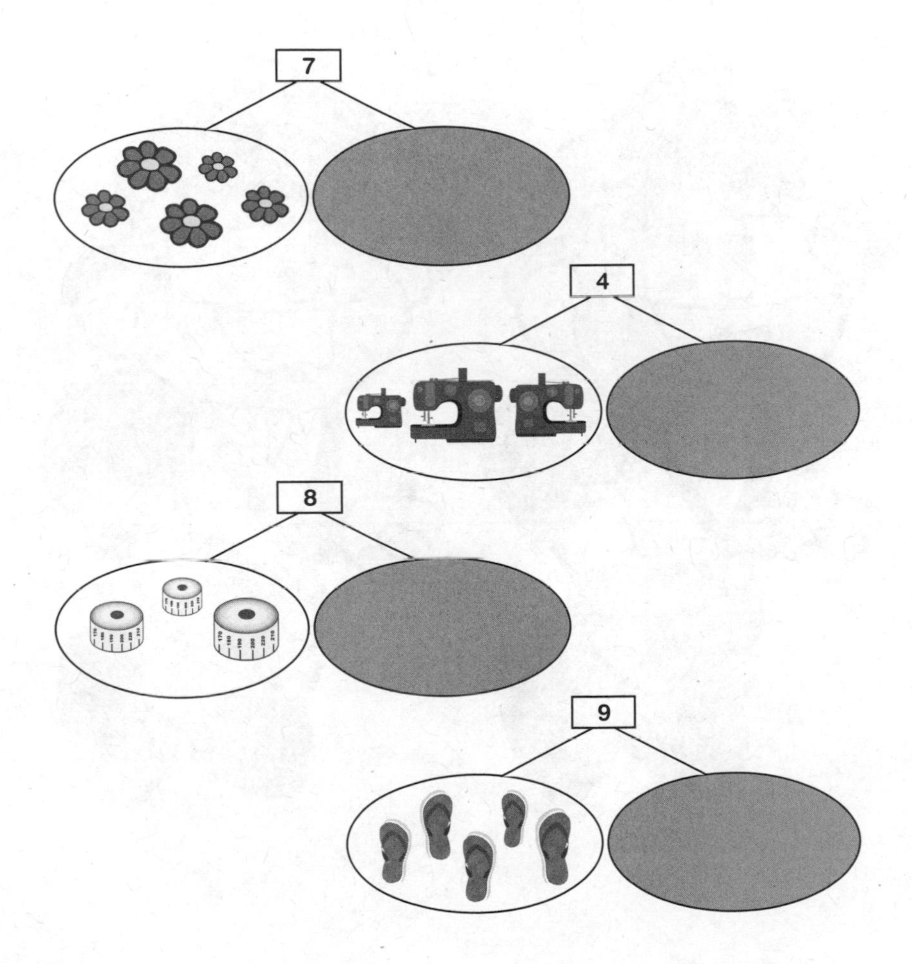

6 ERREURS

Connais-tu l'organisme ?

Vrai ou faux ? Il est possible de faire une visite virtuelle de la Maison Enfant Soleil sur le site d'Opération Enfant Soleil.

Réponse : Vrai

L'ARTISTE

L'HEURE

SUDOKU DESSINS

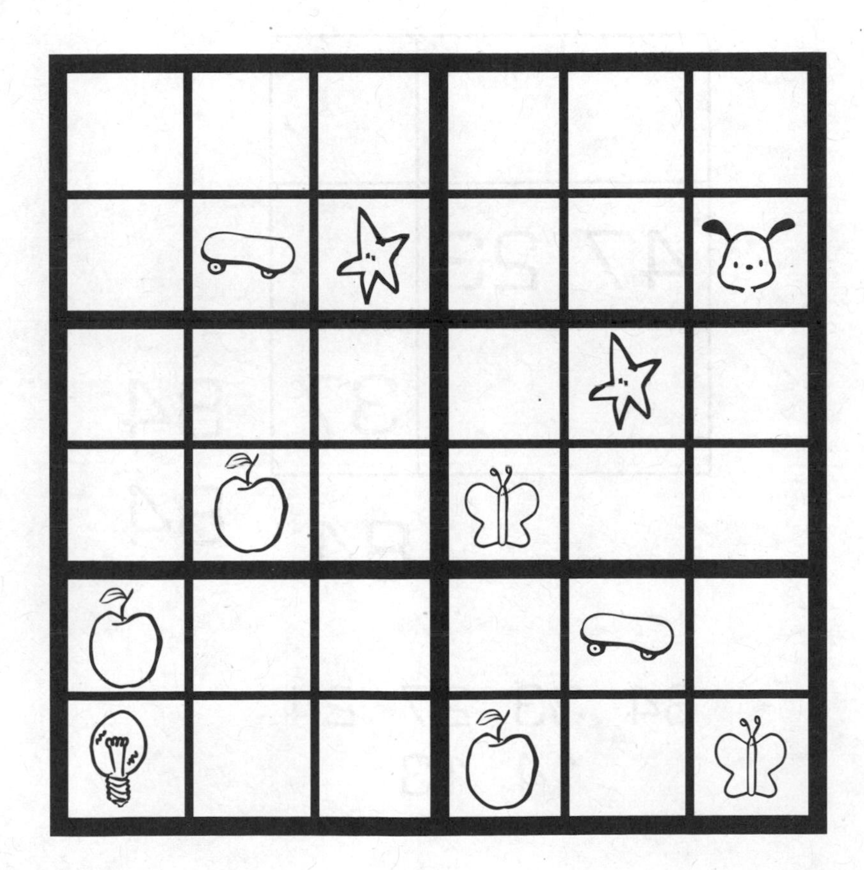

CARRÉ MAGIQUE

47	23		
		37	84
		84	84

34 33 27 24
14 13

Connais-tu l'organisme ?

Qui peut assister au Téléthon ?

a. Le grand public, le tout gratuitement
b. Le grand public, s'il paie
c. Les partenaires, le tout gratuitement
d. Les partenaires, s'ils paient

Réponse : a. Le grand public, le tout gratuitement

DESSIN À COLORIER

Connais-tu l'organisme ?

À quel film Opération Enfant Soleil a-t-il été associé ?

a. *Oscar et la dame rose*
b. *La guerre des tuques*
c. *La grenouille et la baleine*

Réponse : a. *Oscar et la dame rose*

BINGO

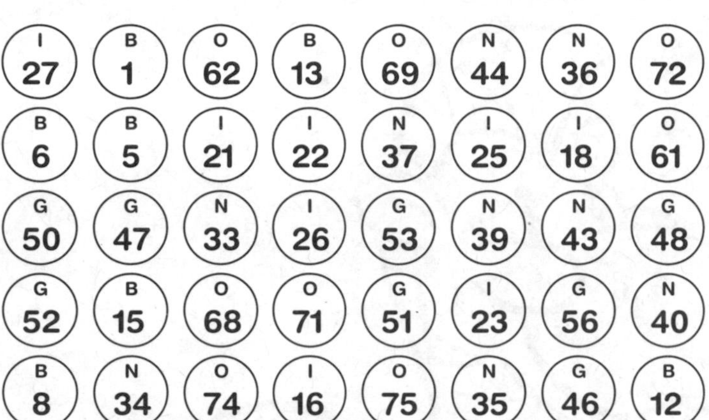

B	I	N	G	O
6	22	33	53	71
13	26	43	48	64
7	18	Gratuit	57	72
4	29	39	59	74
14	27	42	52	63

PARFAITE ORTHOGRAPHE

◯ **CLOCHE**

◯ **CLOCCHE**

◯ **CLAUCHE**

LE DOUBLE

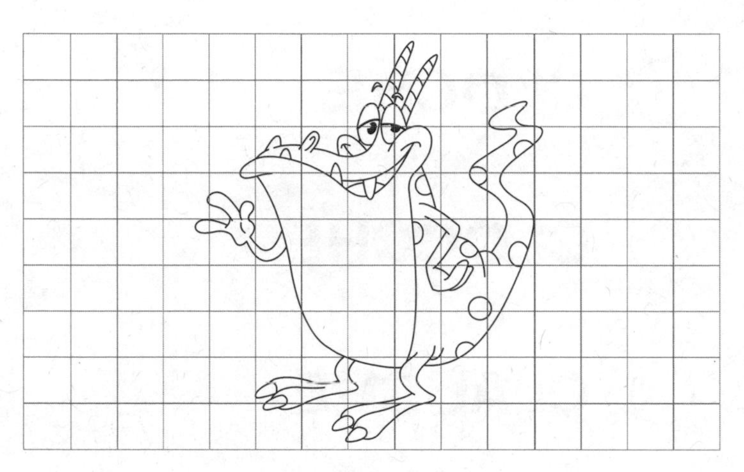

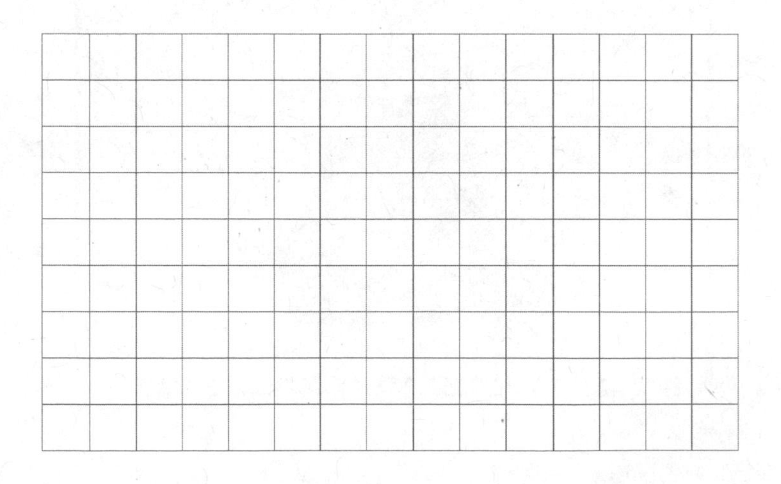

MÉLI-MÉLO

AVION

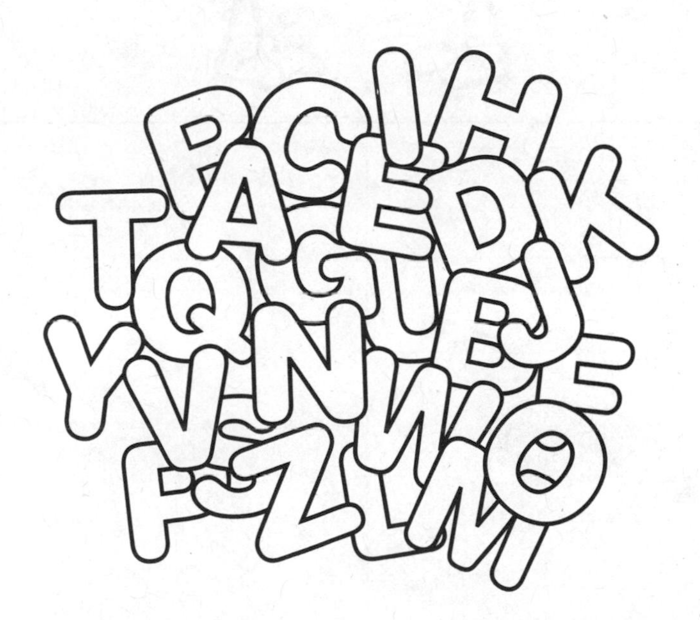

SYMÉTRIE

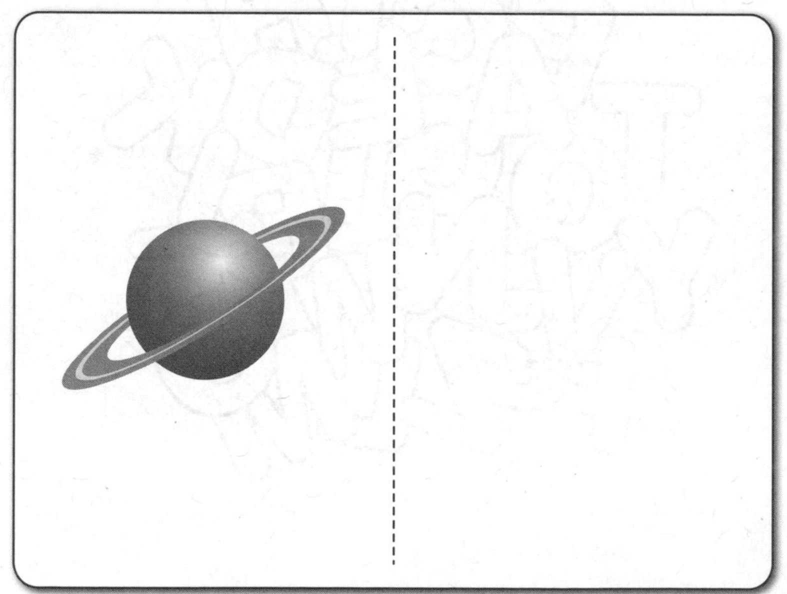

BOURRASQUES DE MOTS

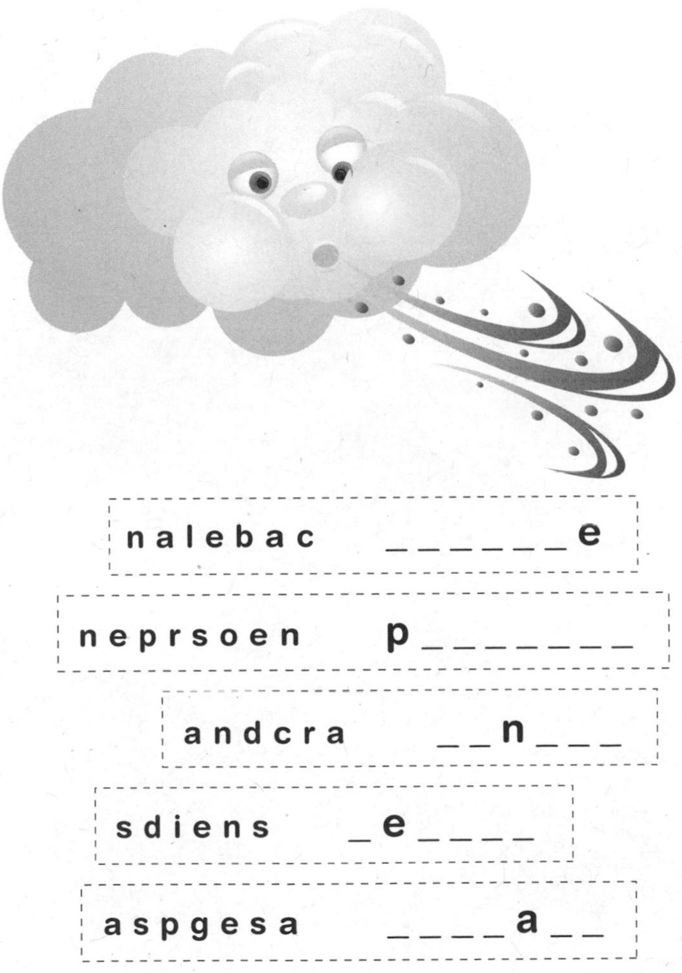

nalebac ______e

neprsoen p_______

andcra __n___

sdiens _e____

aspgesa ____a__

Solutions

SOLUTIONS

Jour 1

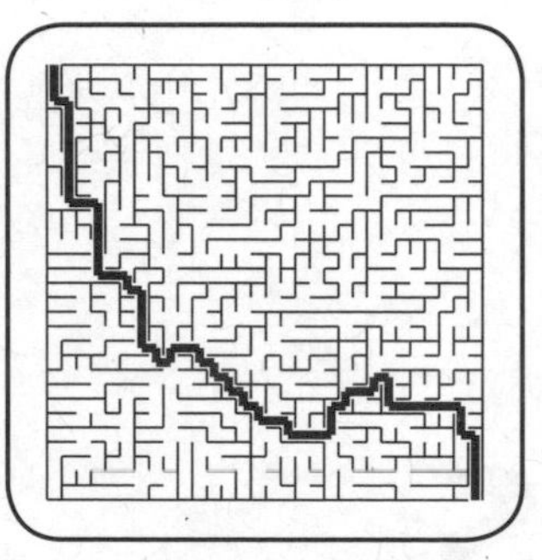

Jour 2

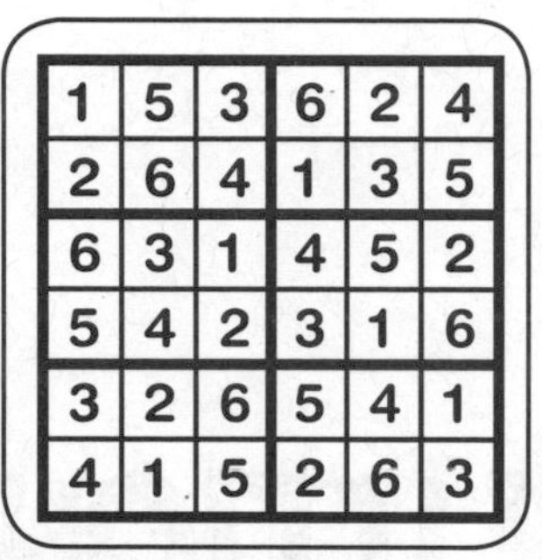

Jour 3

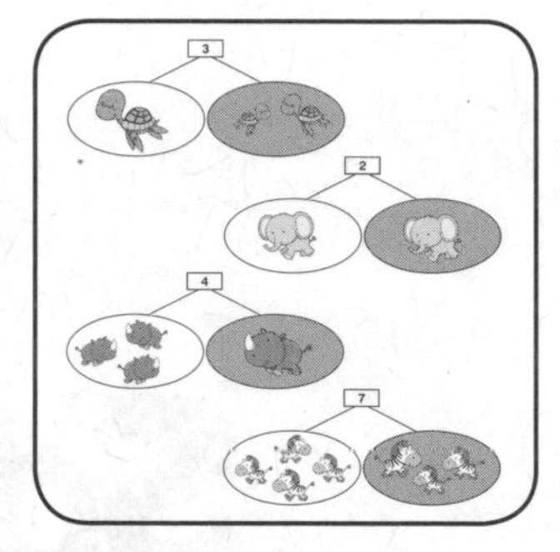

Jour 4

Jour 6

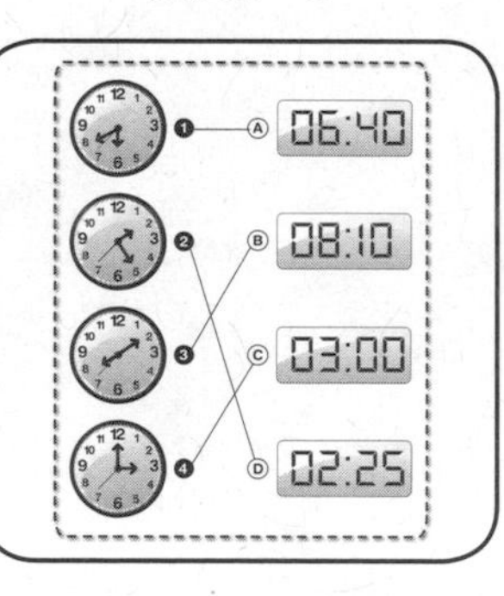

Jour 7

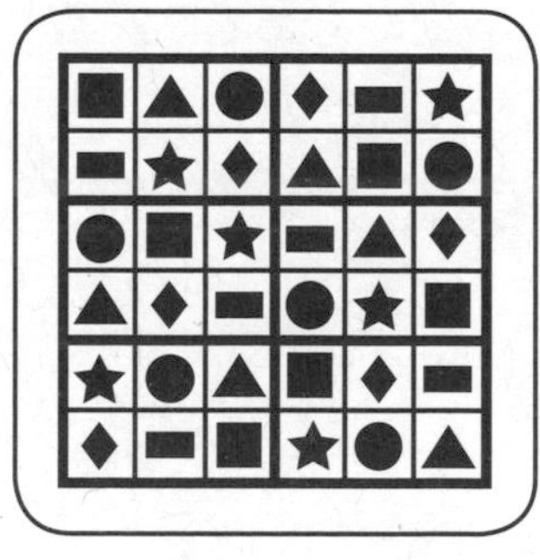

Jour 8

18	15	25
17	24	17
23	19	16

Jour 10

Jour 11

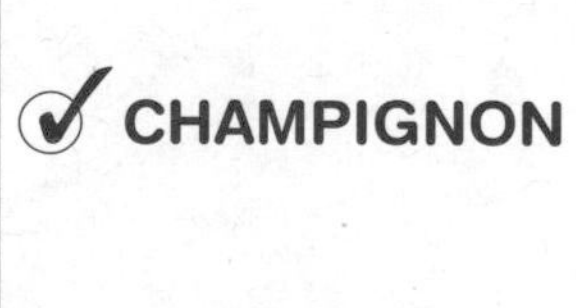

Jour 13

Jour 14

Jour 15

Jour 16

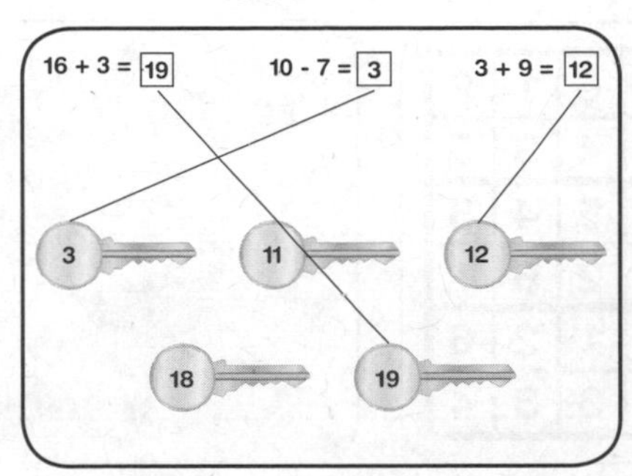

Jour 17

Jour 18

Jour 19

Jour 20

Jour 21

1	B	A	I	N	
2	E	A	U		
3	A	R	M	E	
4	U	S	I	N	E

Jour 22

DÉBARDEUR

Jour 24

1. RAIE
2. CRABE
3. COQUILLAGE
4. MÉDUSE
5. HIPPOCAMPE
6. BALEINE

REQUIN

Jour 25

UN CITRON CONTIENT PLUS DE SUCRE QU'UNE FRAISE.

SOLUTIONS

Jour 26

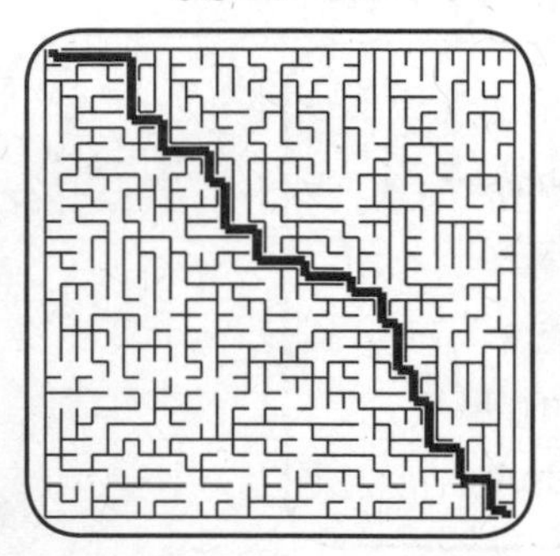

Jour 27

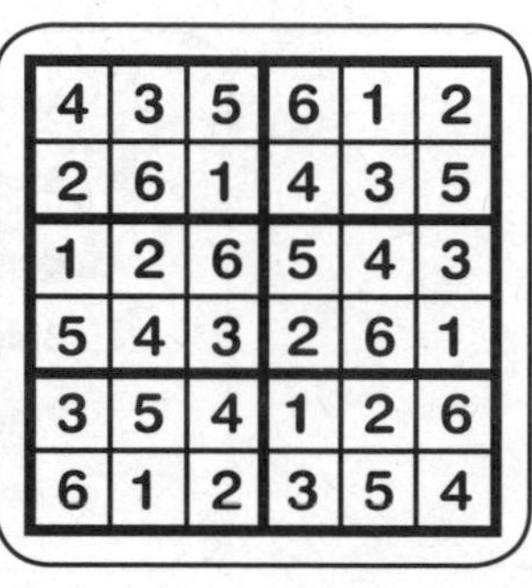

4	3	5	6	1	2
2	6	1	4	3	5
1	2	6	5	4	3
5	4	3	2	6	1
3	5	4	1	2	6
6	1	2	3	5	4

Jour 28

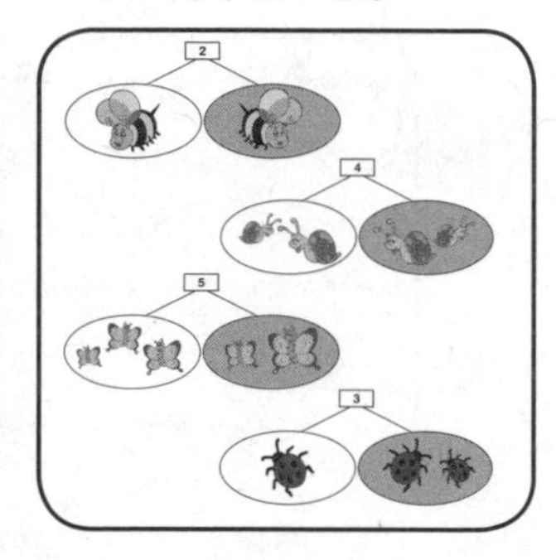

Jour 29

Jour 31

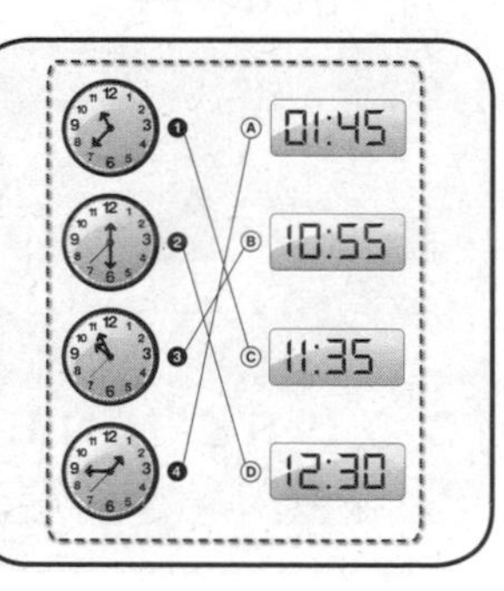

Jour 32

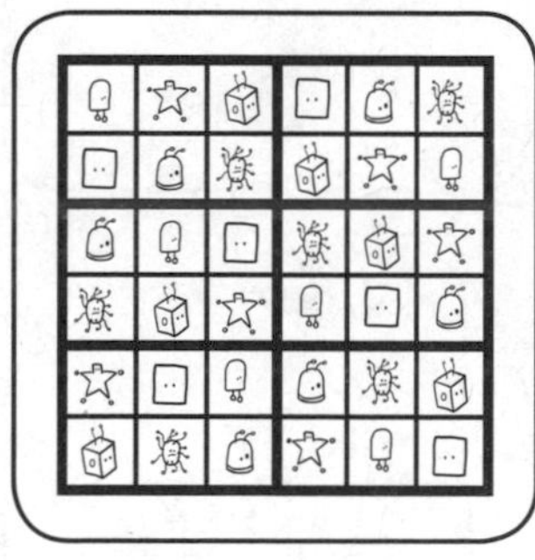

Jour 33

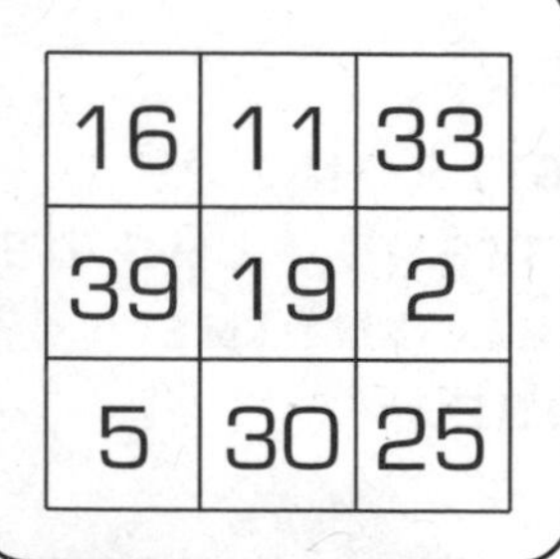

16	11	33
39	19	2
5	30	25

Jour 35

Jour 36

Jour 38

Jour 39

Jour 40

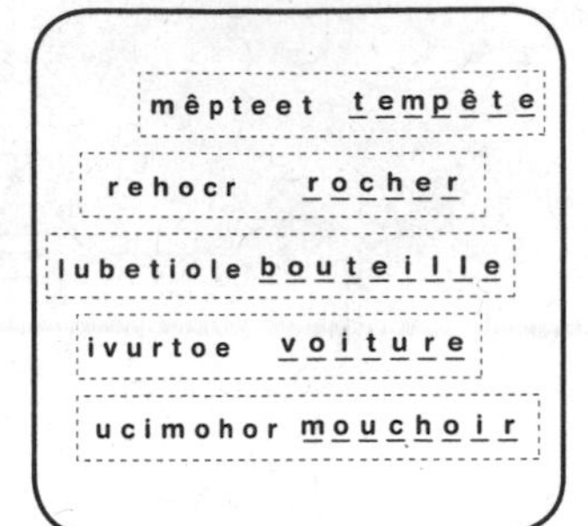

Jour 41

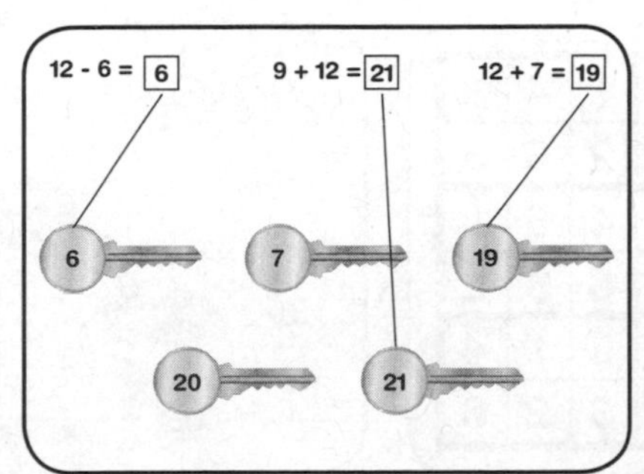

Jour 42

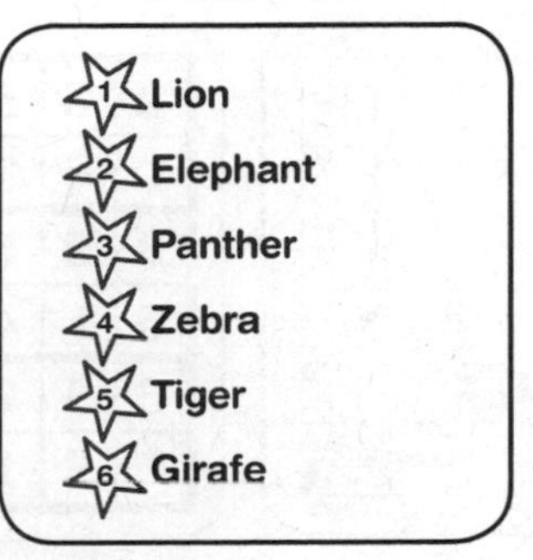

Jour 43

Jour 44

Jour 45

Jour 46

1	N	O	R	D	
2	U	T	I	L	E
3	I	R	I	S	
4	T	E	R	R	E

Jour 47

CARROSSE

Jour 49

1. MAISON
2. BANANE
3. VACHE
4. POULE
5. LAPIN

SAVON

Jour 50

UN POISSON
ROUGE PEUT
VOIR LES
ULTRAVIOLETS.

SOLUTIONS

Jour 51

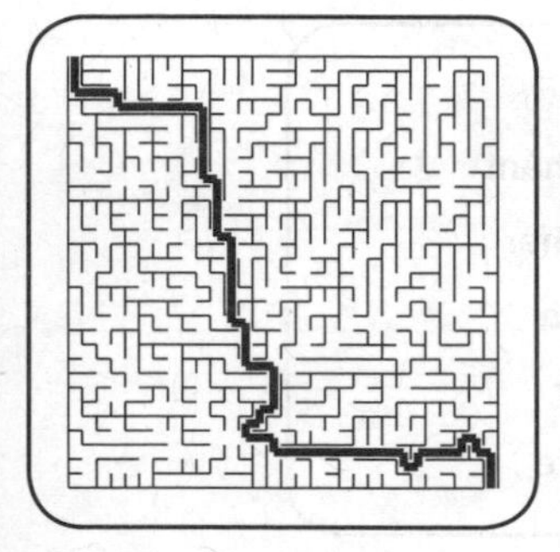

Jour 52

2	6	5	1	4	3
1	4	3	2	6	5
3	2	6	4	5	1
5	1	4	6	3	2
6	3	2	5	1	4
4	5	1	3	2	6

Jour 53

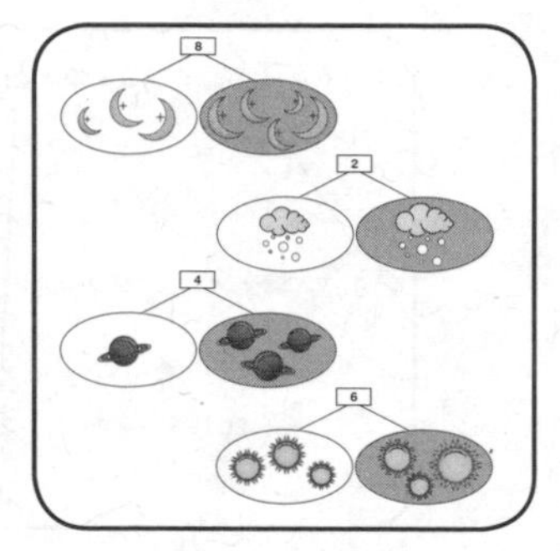

Jour 54

Jour 56

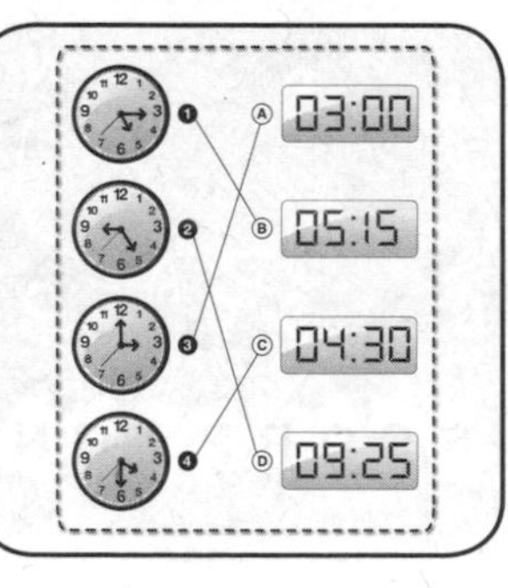

Jour 57

Jour 58

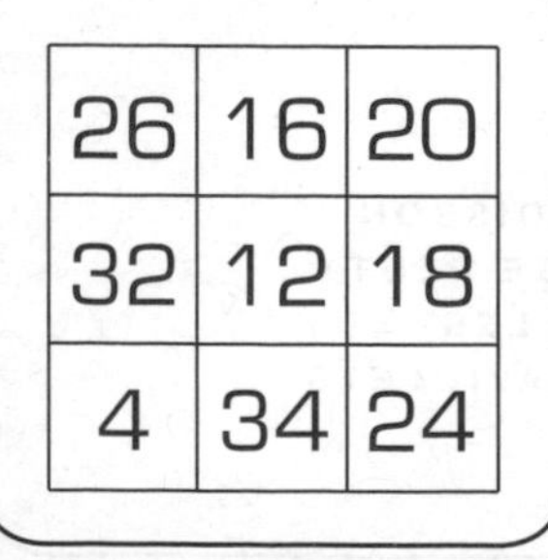

26	16	20
32	12	18
4	34	24

Jour 60

Jour 61

Jour 63

Jour 64

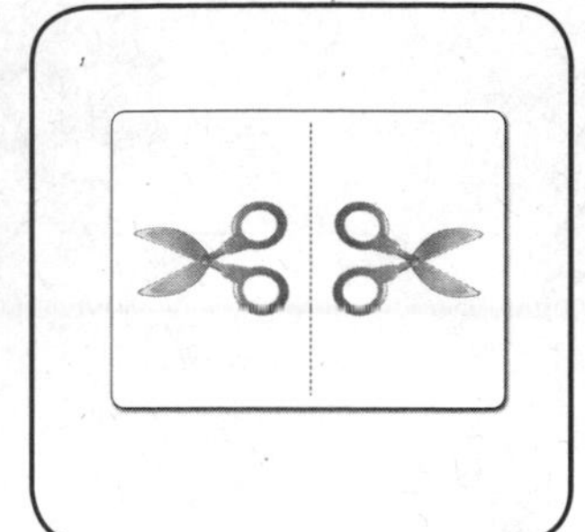

Jour 65

Jour 66

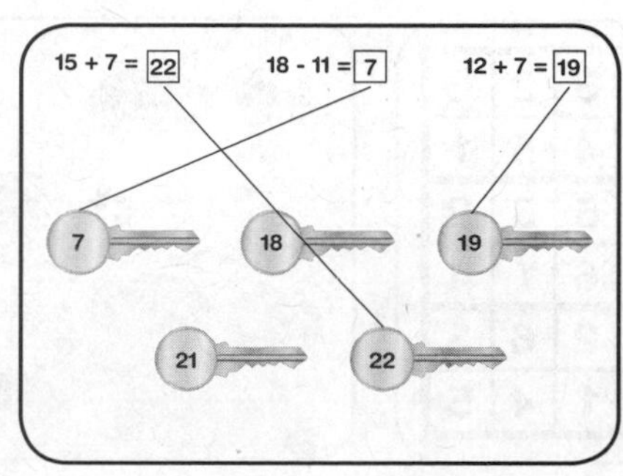

Jour 67

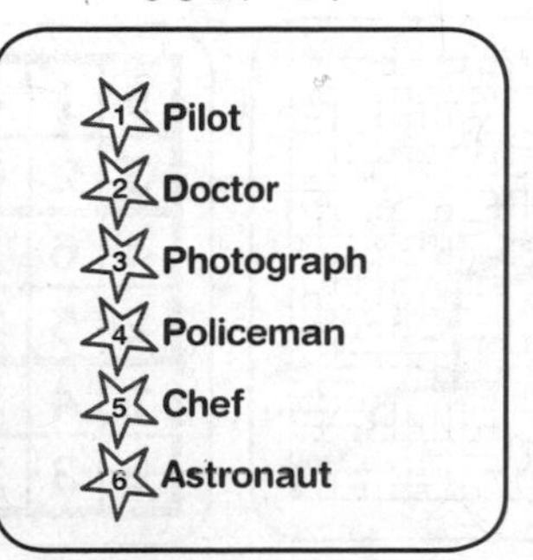

Jour 68

4

Jour 69

Jour 70

Jour 71

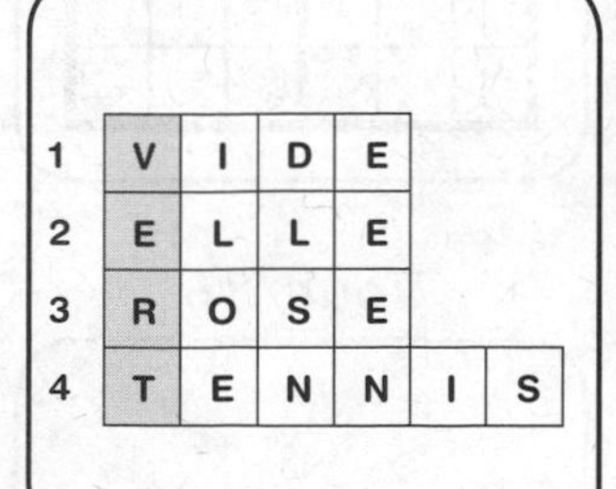

Jour 72

GIROUETTE

Jour 74

1. **POISSON**
2. **CROCODILE**
3. **PAON**
4. **GIRAFE**
5. **PERROQUET**

SINGE

Jour 75

TES PLUS PETITS OS SONT DANS TES OREILLES.

SOLUTIONS

Jour 76

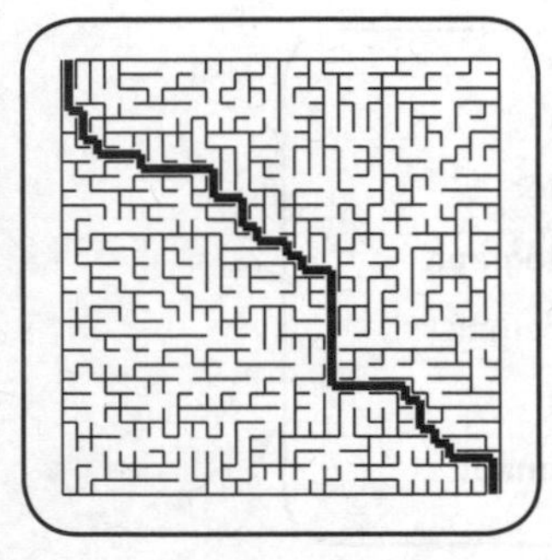

Jour 77

5	1	4	3	2	6
3	2	6	4	5	1
4	6	1	5	3	2
2	5	3	6	1	4
1	4	5	2	6	3
6	3	2	1	4	5

Jour 78

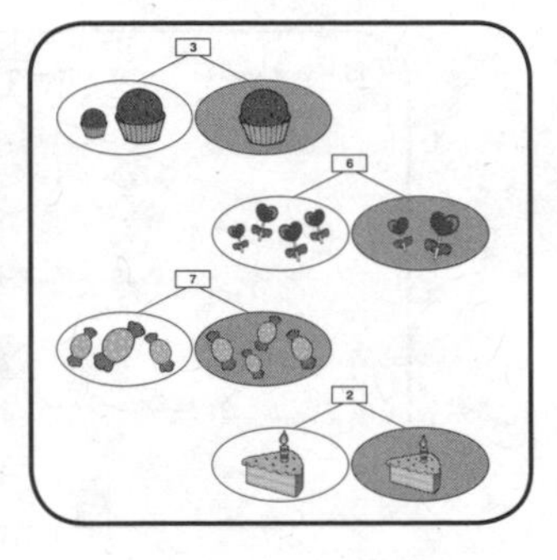

Jour 79

Jour 81

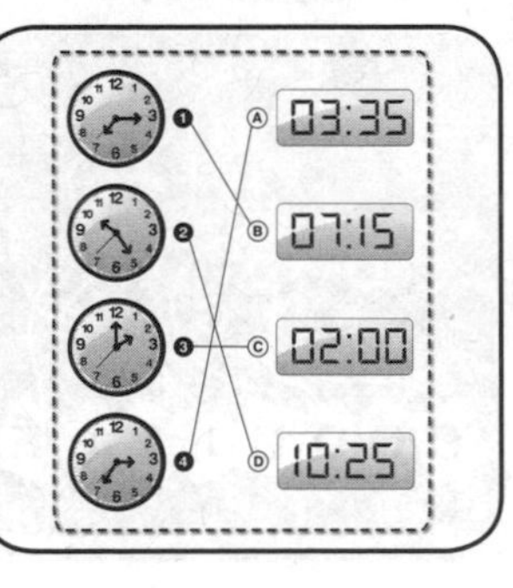

Jour 82

Jour 83

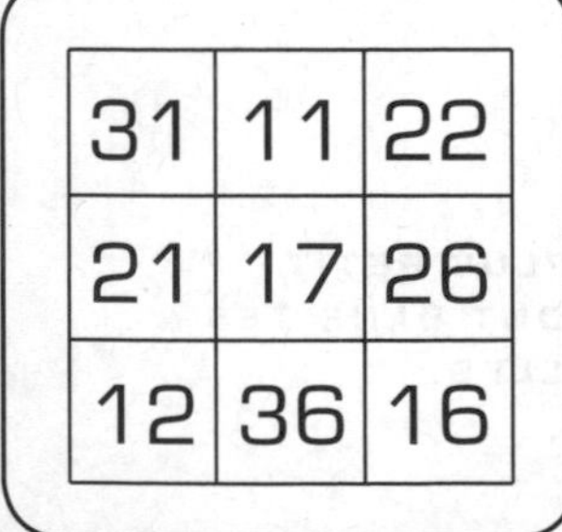

31	11	22
21	17	26
12	36	16

Jour 85

SOLUTION B:2 I:20 G:56 O:72

Jour 86

Jour 88

Jour 89

Jour 90

Jour 91

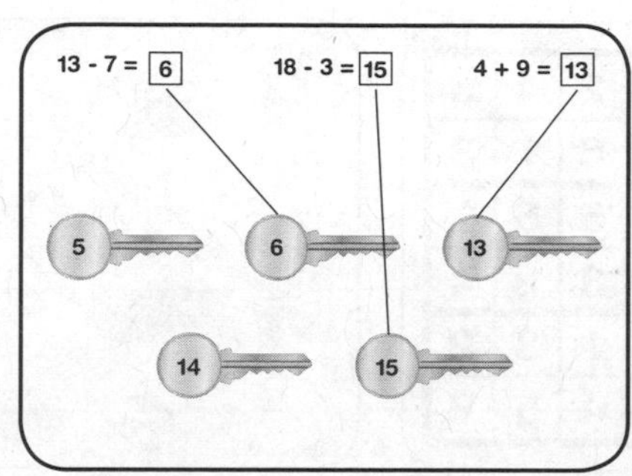

Jour 92

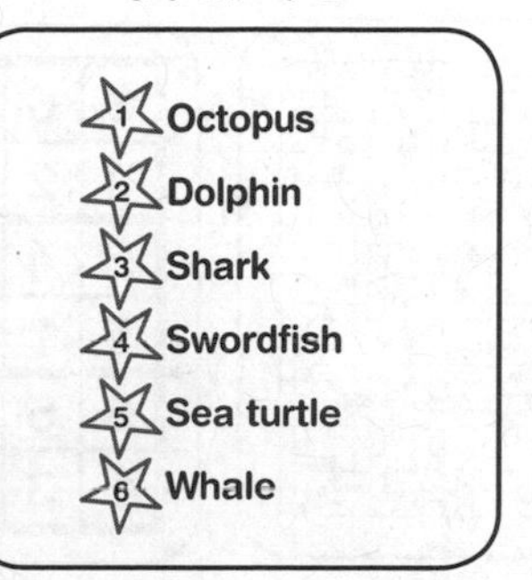

Jour 93

Jour 94

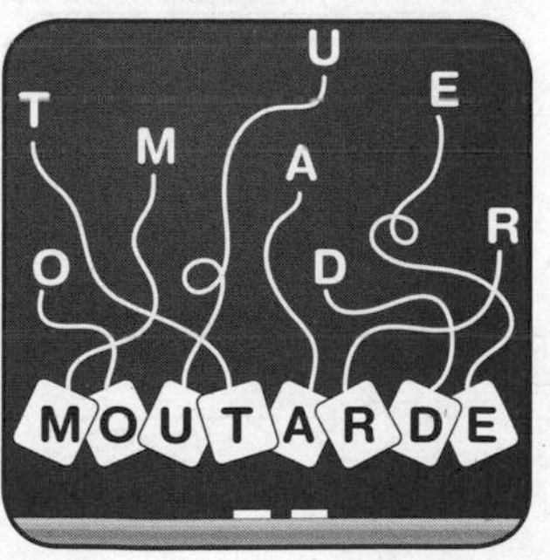

Jour 95

Jour 96

1	N	I	D		
2	E	N	N	U	I
3	U	N	I	R	
4	F	I	L	M	

Jour 97

VOILIER

Jour 99

1. BIKINI
2. OCÉAN
3. MAILLOT
4. SOLEIL
5. PARASOL
6. PANIER

BALLON

Jour 100

ON NE PEUT PAS
GARDER SES
YEUX OUVERTS
EN ÉTERNUANT.

SOLUTIONS

Jour 101

Jour 102

3	6	1	2	4	5
4	2	5	6	1	3
2	4	3	5	6	1
5	1	6	3	2	4
6	5	4	1	3	2
1	3	2	4	5	6

Jour 103

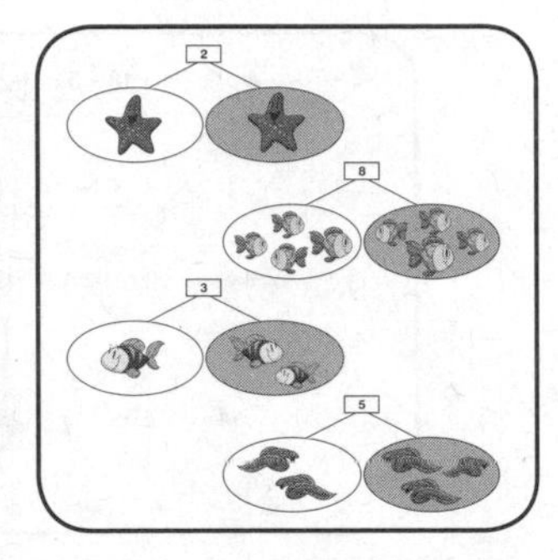

Jour 104

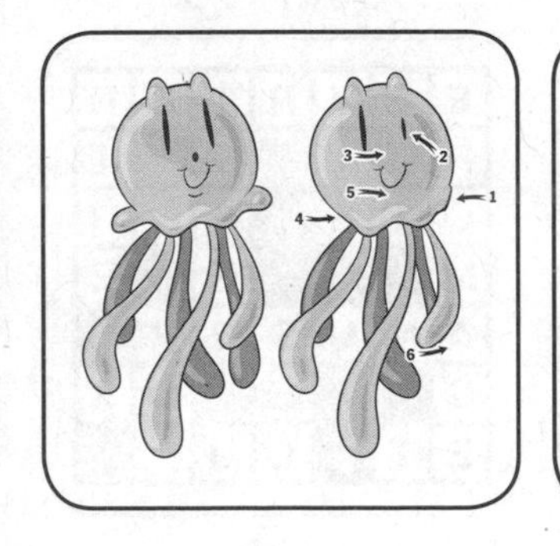

Jour 106

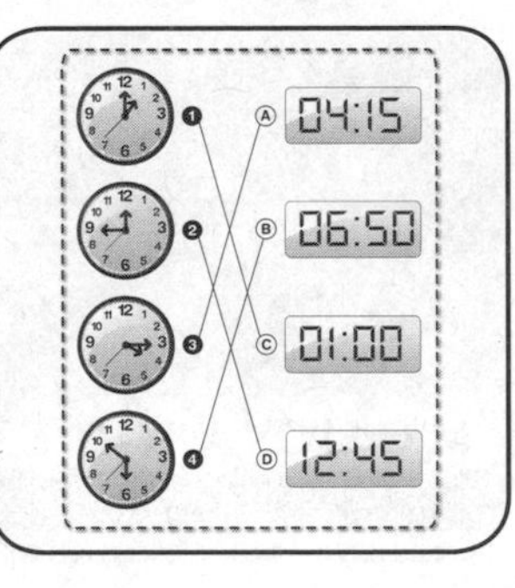

Jour 107

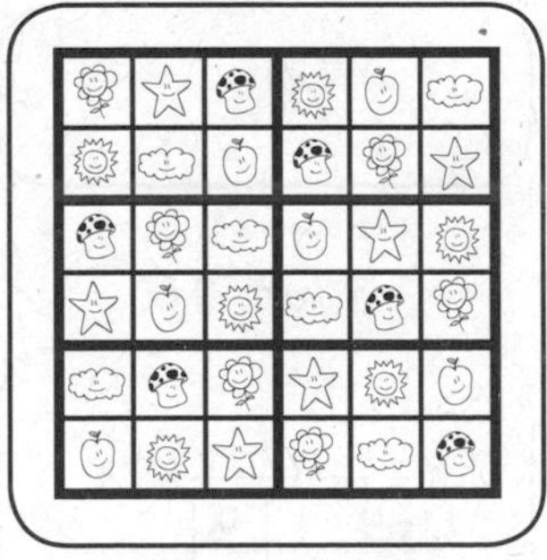

Jour 108

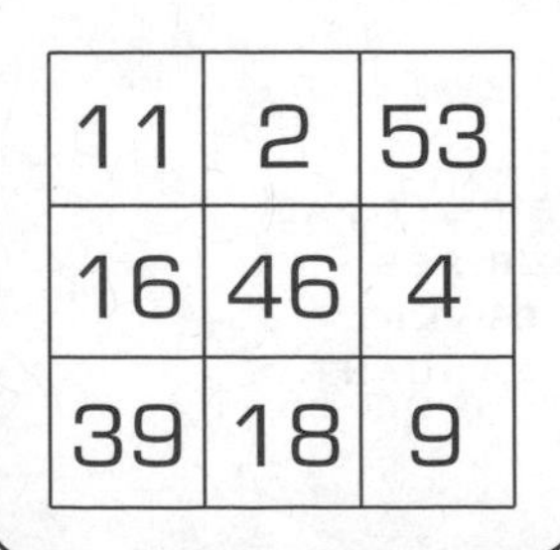

11	2	53
16	46	4
39	18	9

Jour 110

Jour 111

Jour 113

Jour 114

Jour 115

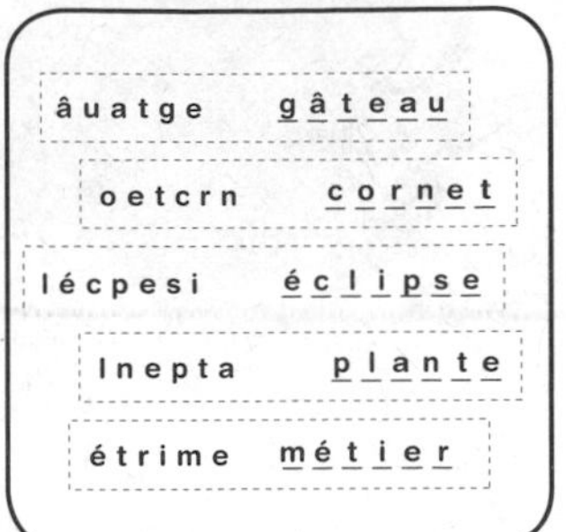

Jour 116

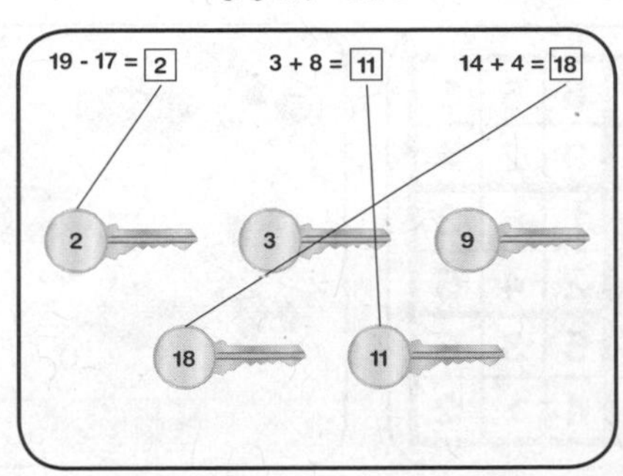

Jour 117

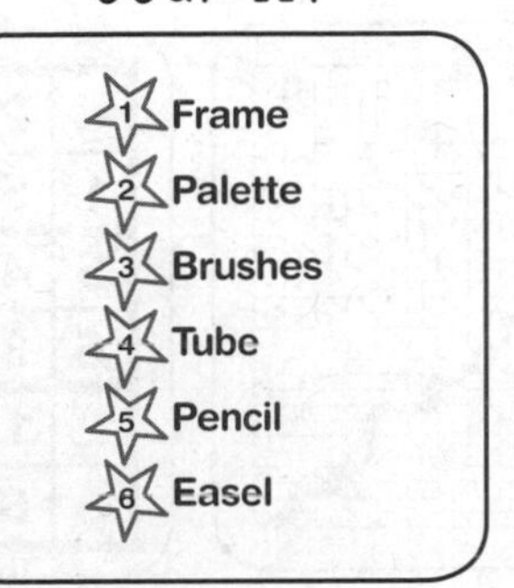

Jour 118

Jour 119

Jour 120

Q	U	E	L		C	E
		S			O	
F	A	T	I	G	U	E
E			C			T
R	A	D	I	O		E
M				S	E	
E	L	L	E		T	E

Jour 121

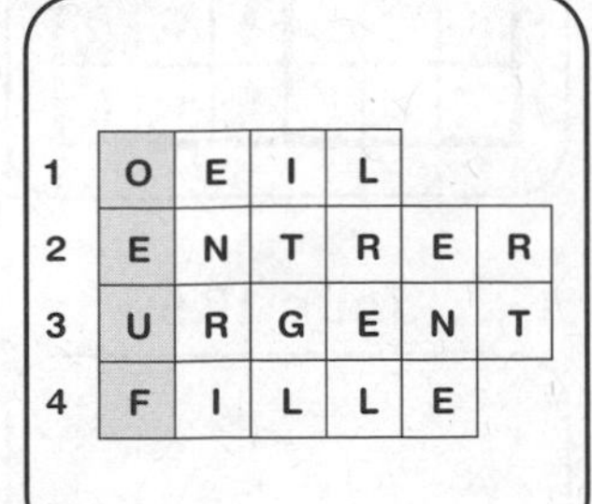

1	O	E	I	L	
2	E	N	T	R	E	R
3	U	R	G	E	N	T
4	F	I	L	L	E	

Jour 122

BOURGEONS

Jour 124

1. ŒUF
2. CHEVAL
3. SOURIS
4. MOUTON
5. CHÈVRE

FERME

Jour 125

LE MIEL EST LE SEUL ALIMENT NATUREL NON PÉRISSABLE.

SOLUTIONS

Jour 126

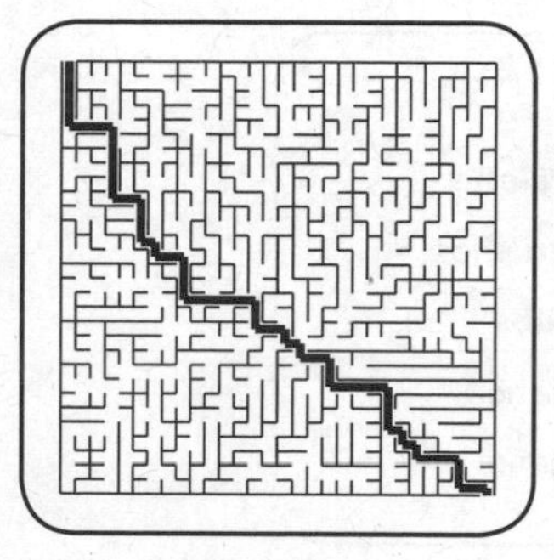

Jour 127

4	2	3	6	5	1
1	5	6	3	2	4
5	4	2	1	6	3
6	3	1	2	4	5
2	1	4	5	3	6
3	6	5	4	1	2

Jour 128

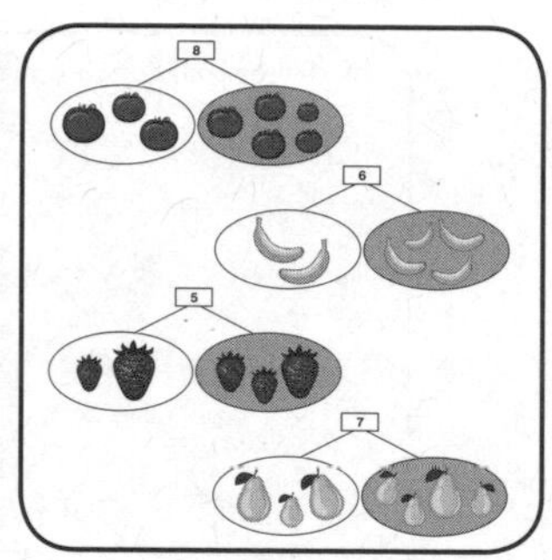

Jour 129

Jour 131

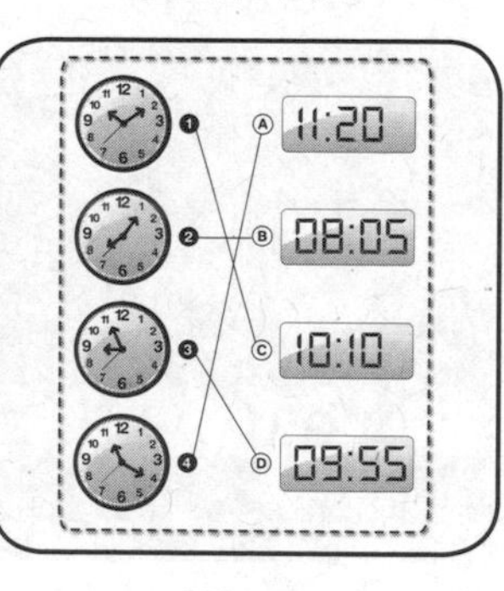

Jour 132

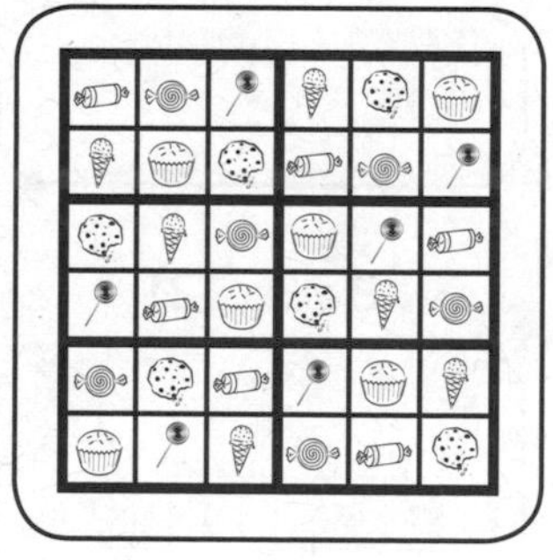

Jour 133

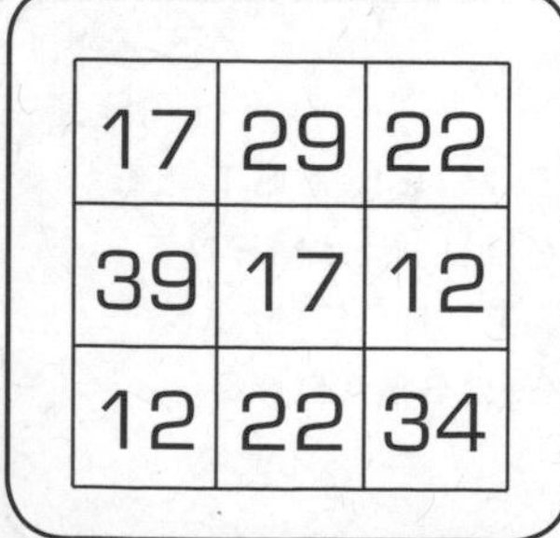

17	29	22
39	17	12
12	22	34

Jour 135

Jour 136

Jour 138

Jour 139

Jour 140

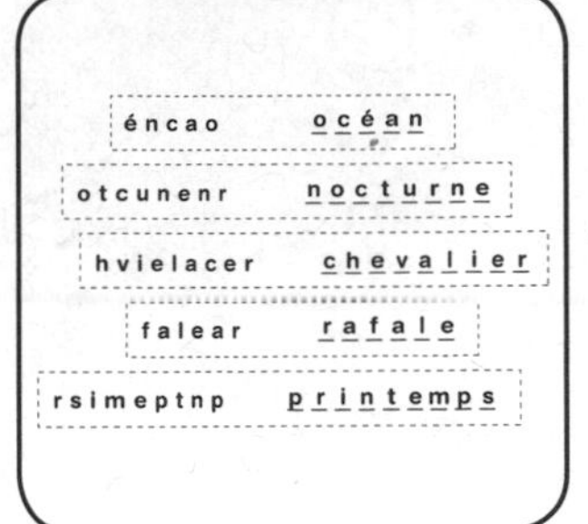

Jour 141

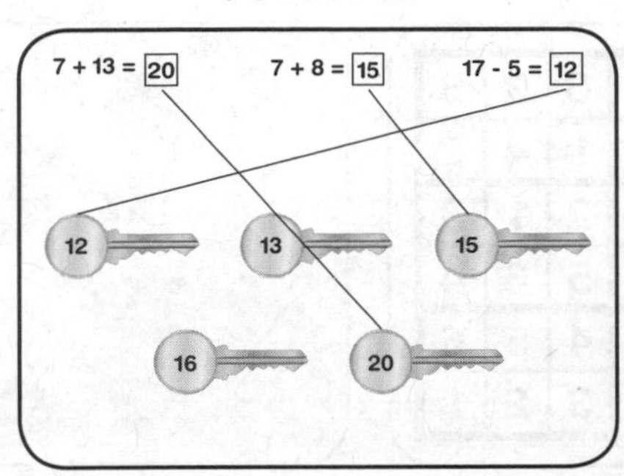

Jour 142

Jour 143

Jour 144

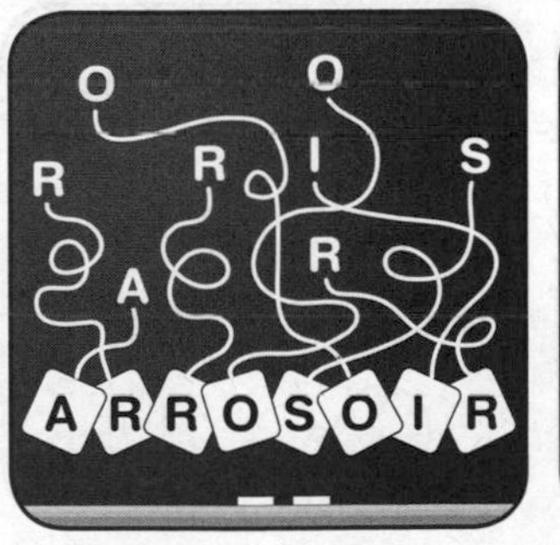

Jour 145

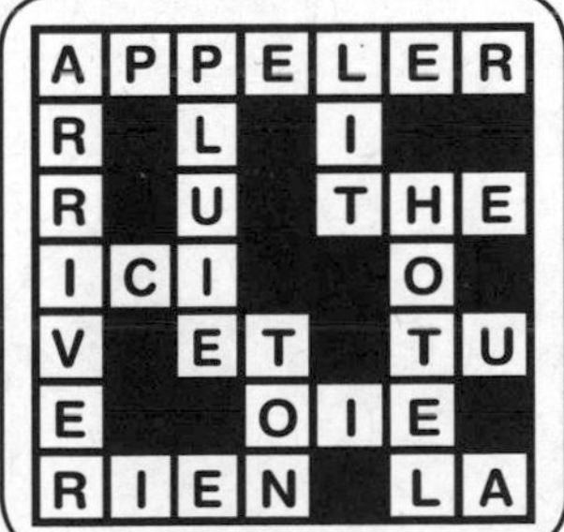

Jour 146

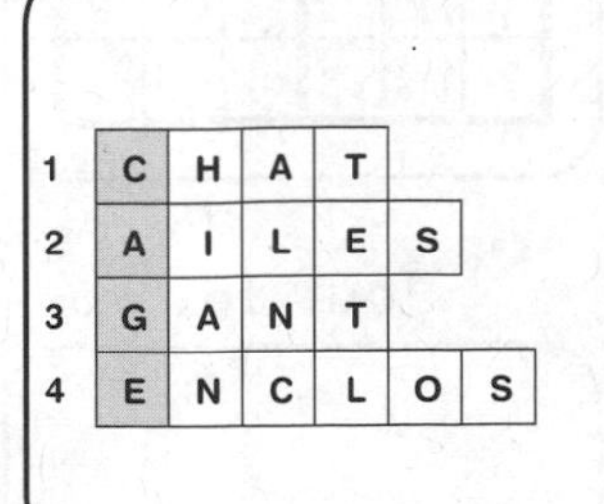

Jour 147

FAUTEUIL

Jour 149

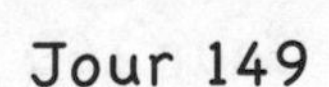

1. VOITURE
2. AVION
3. AUTOBUS
4. TRAIN
5. BATEAU

ROUTE

Jour 150

L'ÉPONGE RETIENT MIEUX L'EAU FROIDE QUE L'EAU CHAUDE.

SOLUTIONS

Jour 151

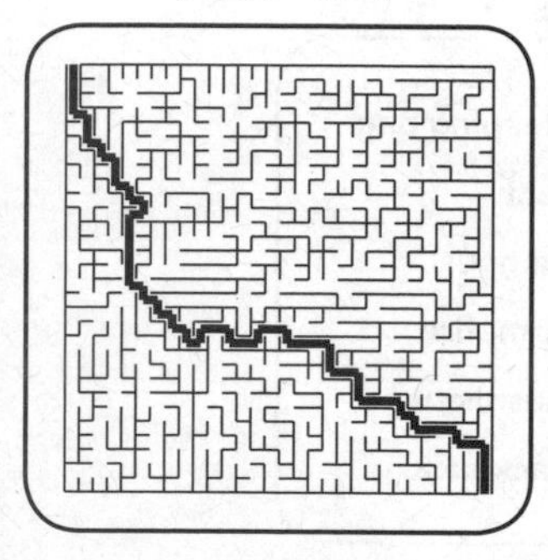

Jour 152

2	1	4	6	3	5
6	5	3	1	4	2
5	4	6	2	1	3
1	3	2	5	6	4
3	2	1	4	5	6
4	6	5	3	2	1

Jour 153

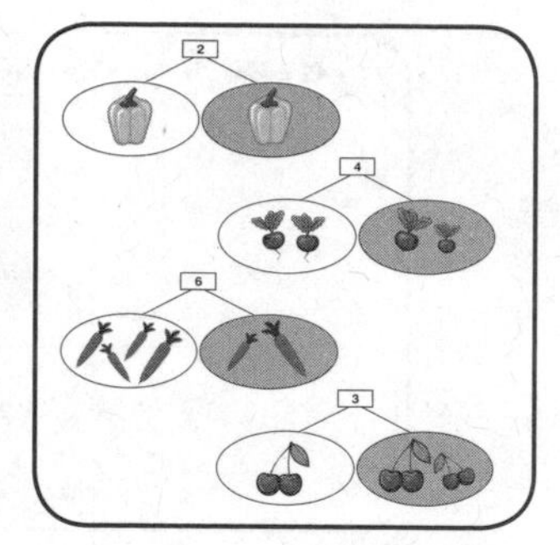

Jour 154

Jour 156

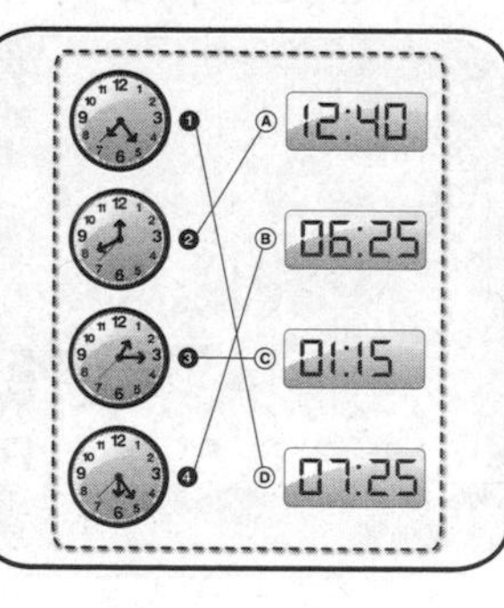

Jour 157

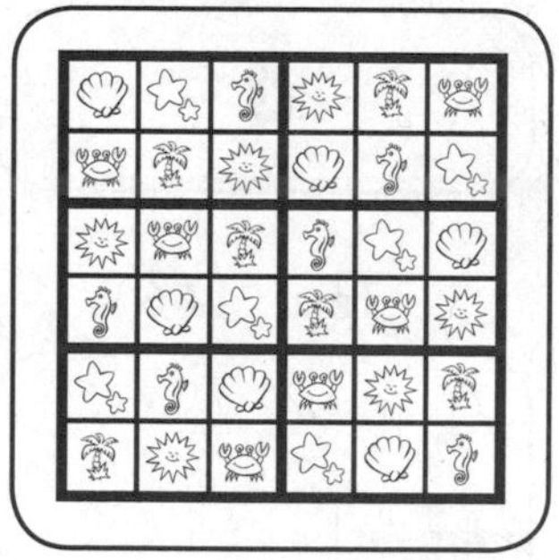

Jour 158

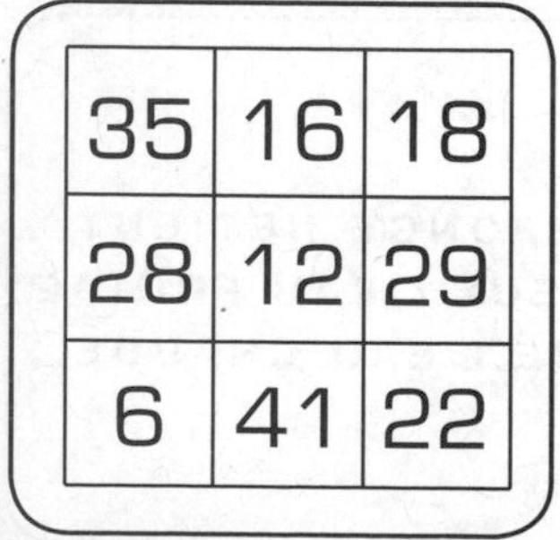

35	16	18
28	12	29
6	41	22

Jour 160

Jour 161

Jour 163

Jour 164

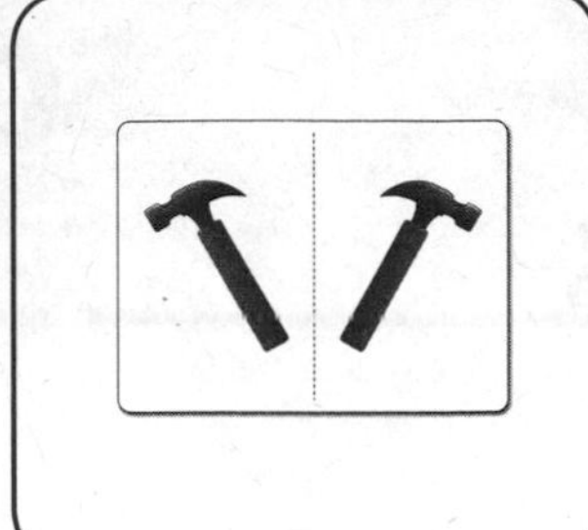

Jour 165

Jour 166

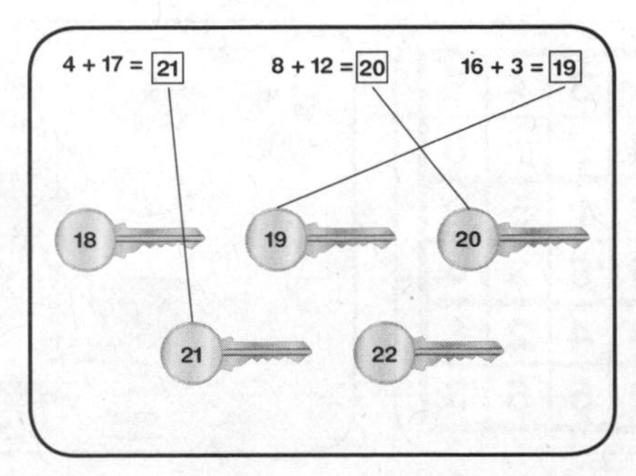

Jour 167

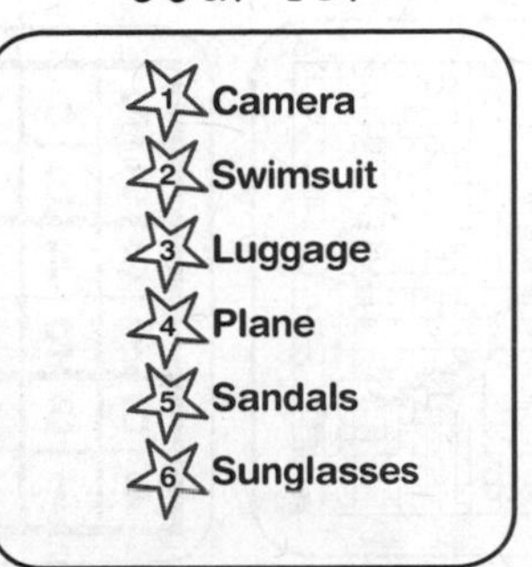

Jour 168

Jour 169

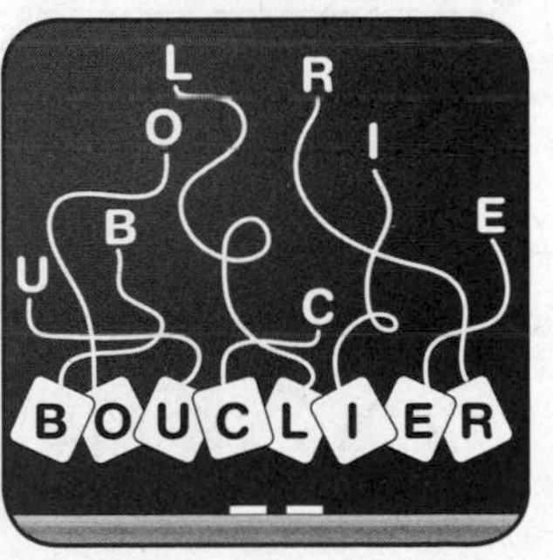

Jour 170

Jour 171

1	P	I	E	D		
2	A	C	T	E	U	R
3	P	E	A	U		
4	A	N	G	E		

Jour 172

COQUILLAGE

Jour 174

1. ÉTOILE
2. ESPACE
3. ORBITE
4. ASTRONAUTE
5. FUSÉE

TERRE

Jour 175

LA GRENOUILLE NE PEUT PAS AVALER SANS FERMER LES YEUX.

SOLUTIONS

Jour 176

Jour 177

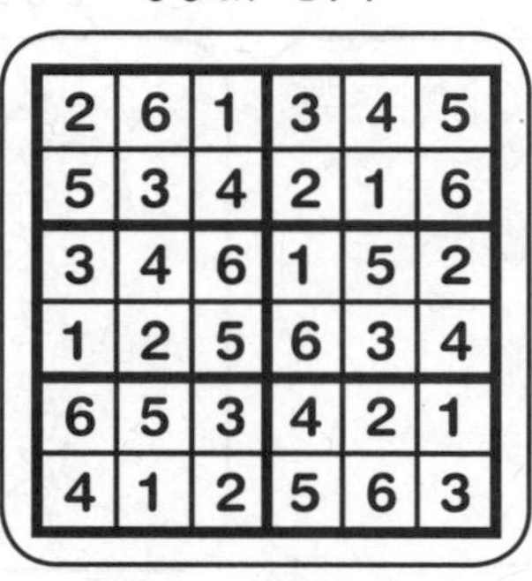

2	6	1	3	4	5
5	3	4	2	1	6
3	4	6	1	5	2
1	2	5	6	3	4
6	5	3	4	2	1
4	1	2	5	6	3

Jour 178

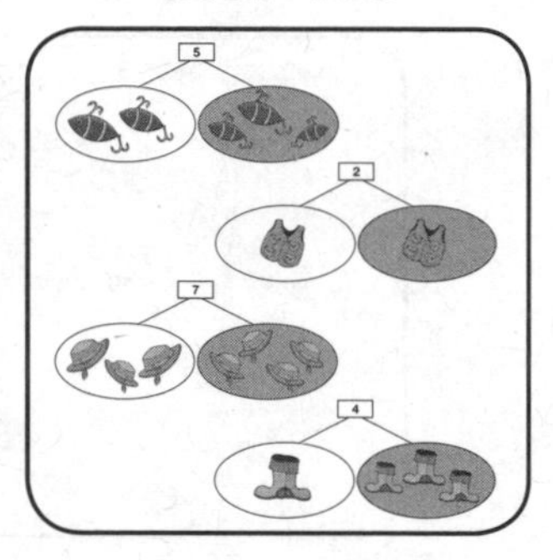

Jour 179

Jour 181

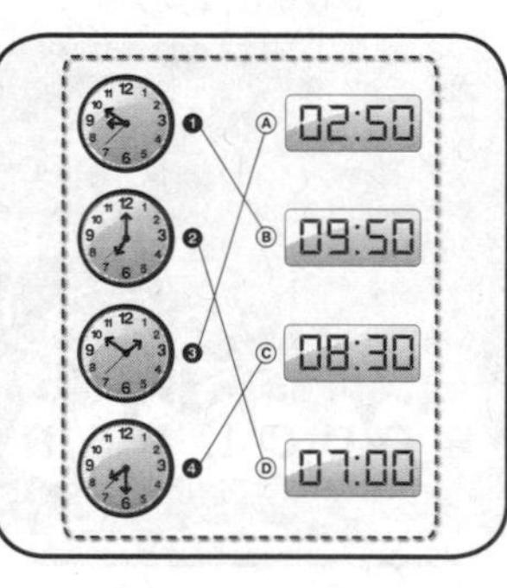

Jour 182

Jour 183

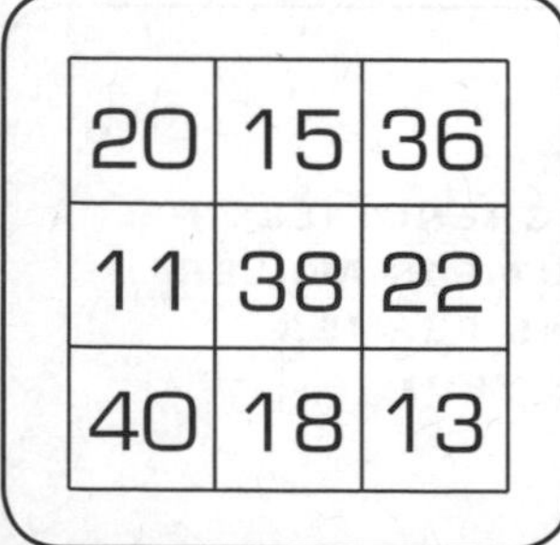

20	15	36
11	38	22
40	18	13

Jour 185

Jour 186

Jour 188

Jour 189

Jour 190

Jour 191

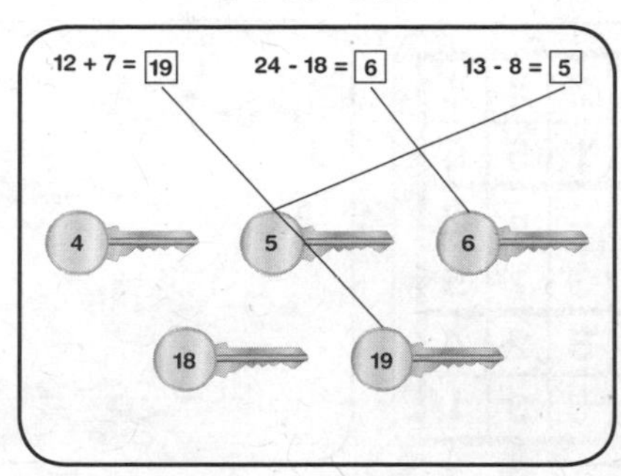

Jour 192

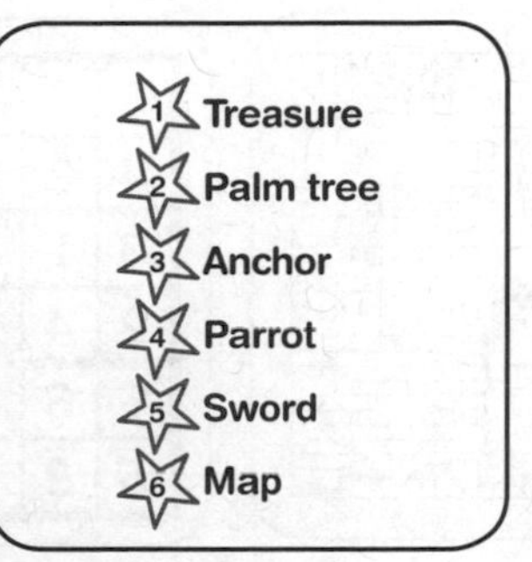

Jour 193

2

Jour 194

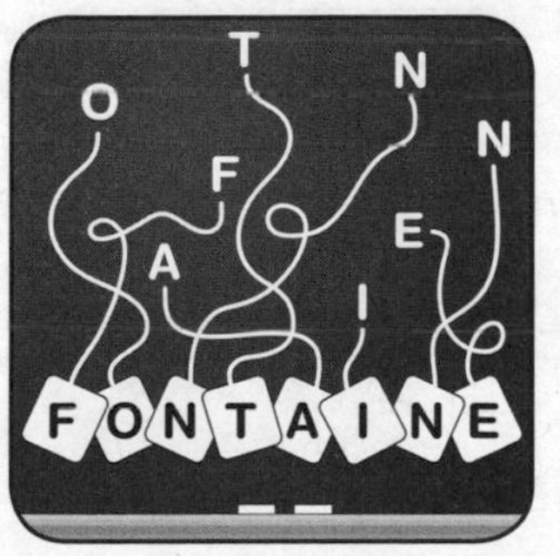

Jour 195

Jour 196

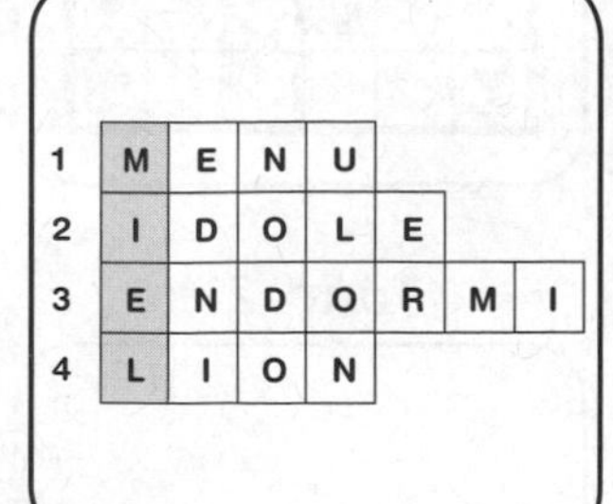

Jour 197

TRAÎNEAU

Jour 199

1. ÉLÈVES
2. COLLE
3. CRAYON
4. LIVRE
5. CISEAUX

ÉCOLE

Jour 200

L'ÉLÉPHANT EST LE SEUL MAMMIFÈRE QUI NE PEUT PAS SAUTER.

SOLUTIONS

Jour 201

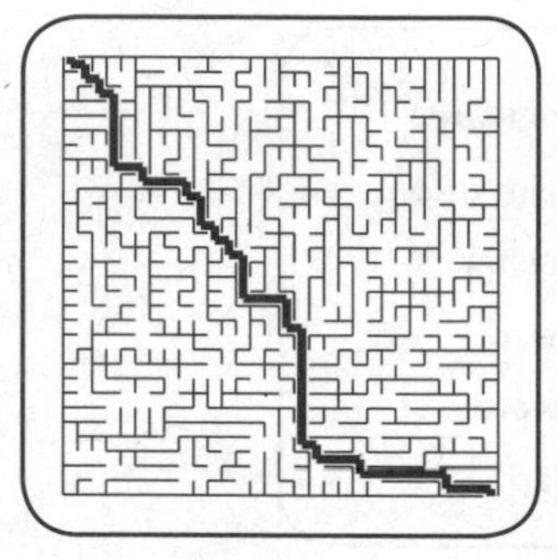

Jour 202

6	5	1	2	4	3
4	3	2	1	5	6
3	1	5	4	6	2
2	4	6	3	1	5
1	6	3	5	2	4
5	2	4	6	3	1

Jour 203

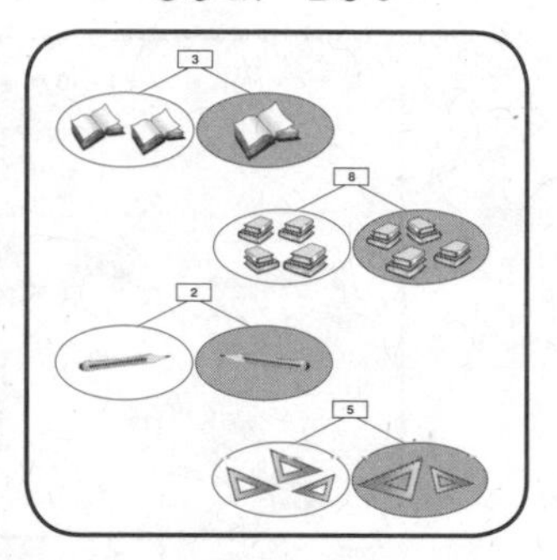

Jour 204

Jour 206

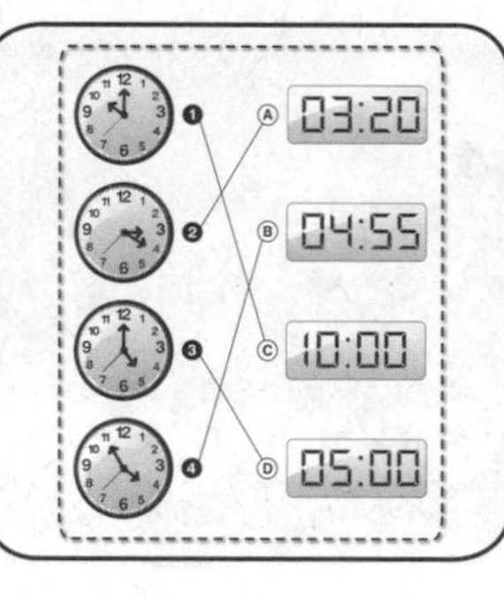

Jour 207

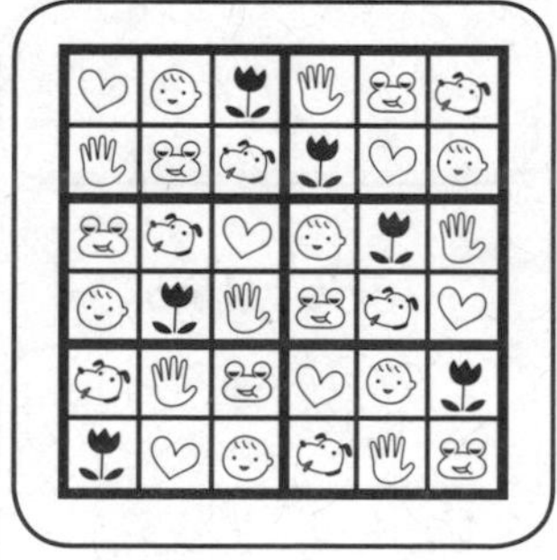

Jour 208

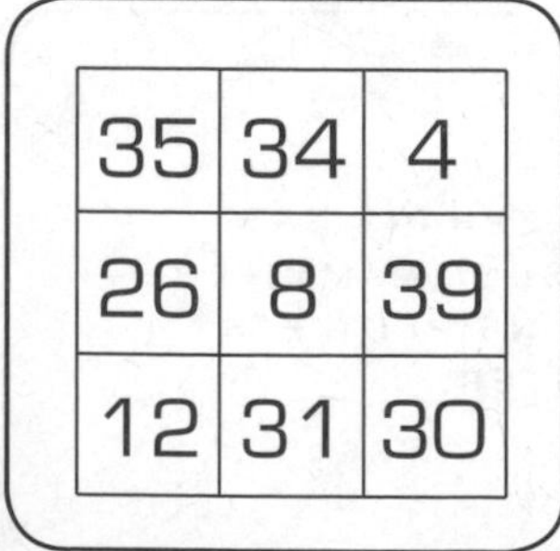

35	34	4
26	8	39
12	31	30

Jour 210

Jour 211

Jour 213

Jour 214

Jour 215

Jour 216

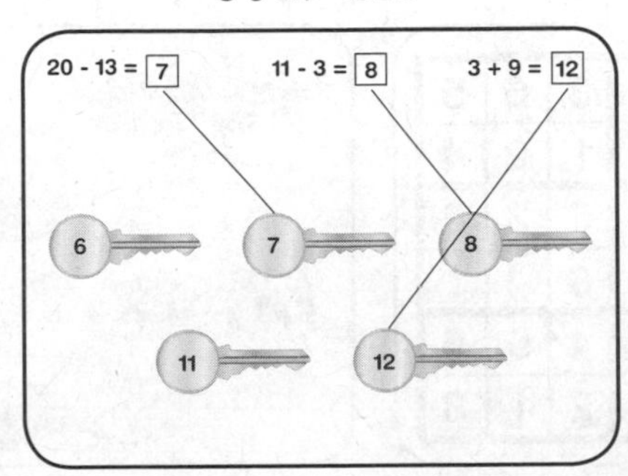

Jour 217

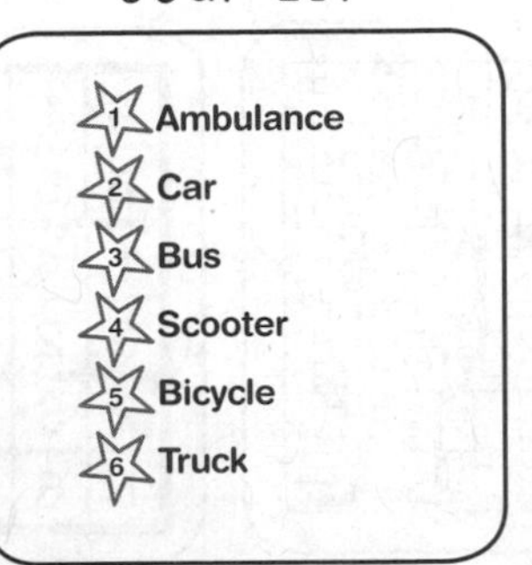

Jour 218

3

Jour 219

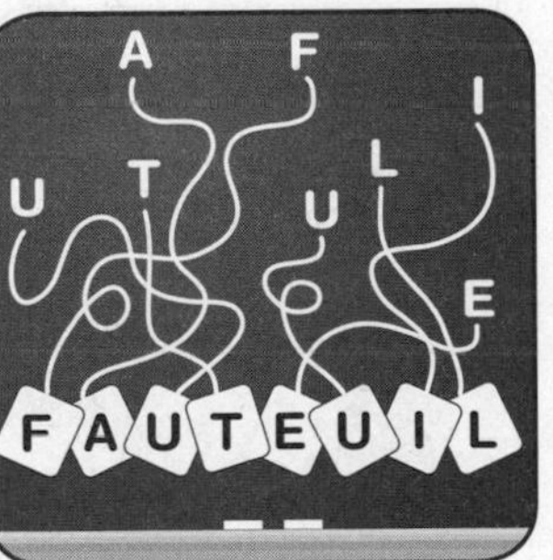

Jour 220

Jour 221

1	M	A	M	A	N	
2	O	T	A	G	E	
3	I	M	A	G	E	
4	S	O	L	E	I	L

Jour 222

TERRARIUM

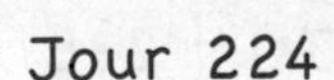

Jour 224

1. CASQUE
2. PANIER
3. BALLON
4. TERRAIN
5. RAQUETTE

SPORT

Jour 225

TOUS LES DALMATIENS NAISSENT BLANCS ET SANS TACHES.

SOLUTIONS

Jour 226

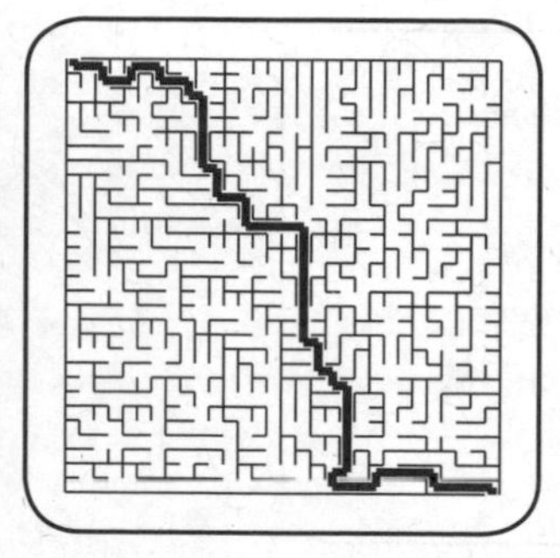

Jour 227

4	1	2	3	6	5
6	5	3	1	2	4
1	4	6	5	3	2
3	2	5	6	4	1
2	3	1	4	5	6
5	6	4	2	1	3

Jour 228

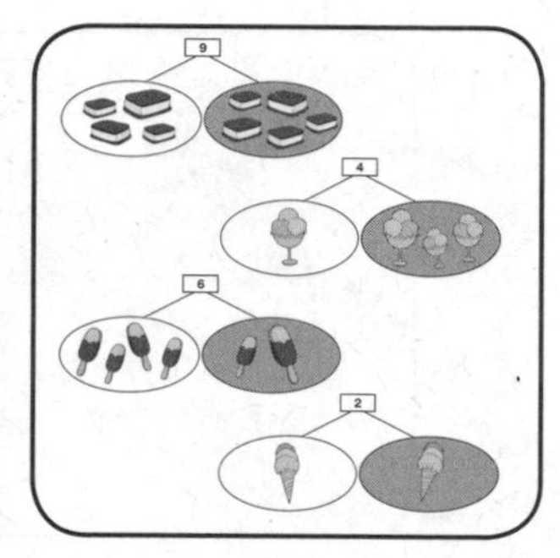

Jour 229

Jour 231

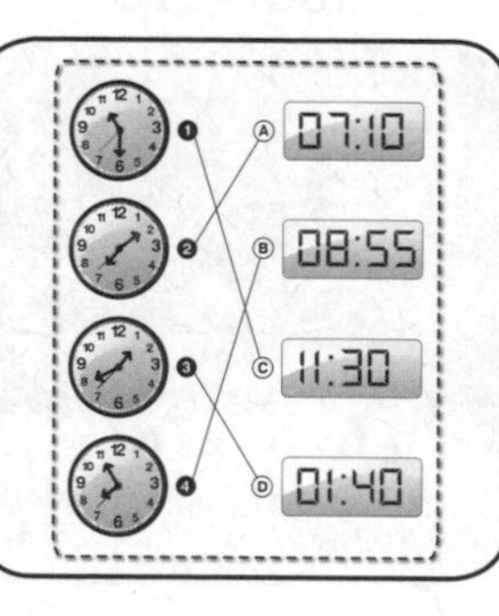

Jour 232

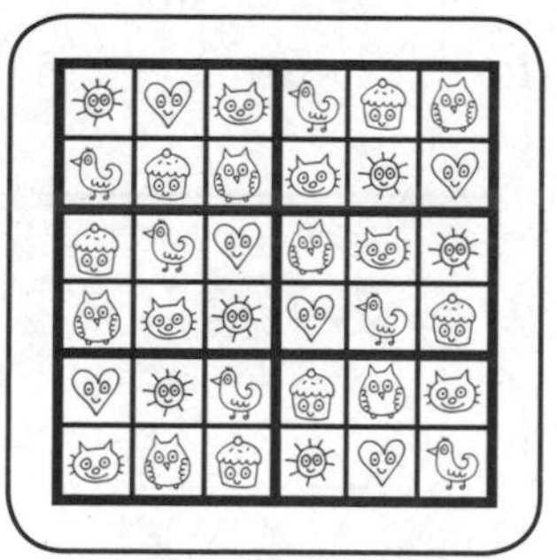

Jour 233

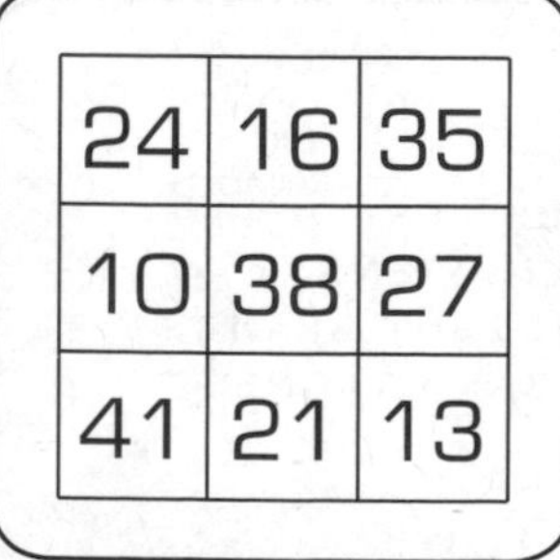

24	16	35
10	38	27
41	21	13

Jour 235

Jour 236

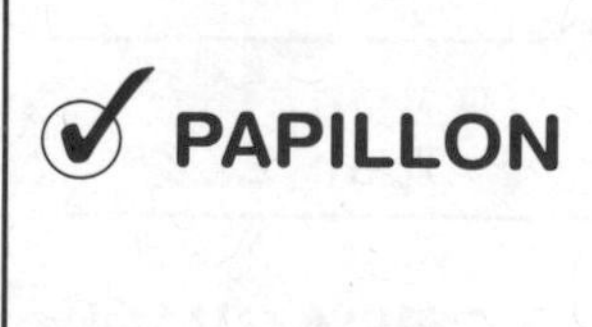

Jour 238

Jour 239

Jour 240

Jour 241

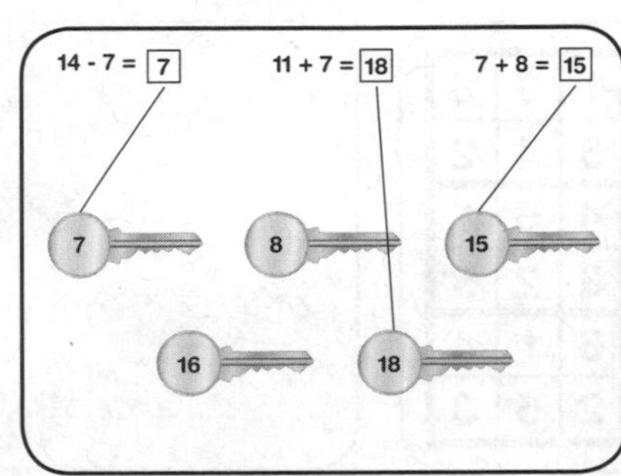

Jour 242

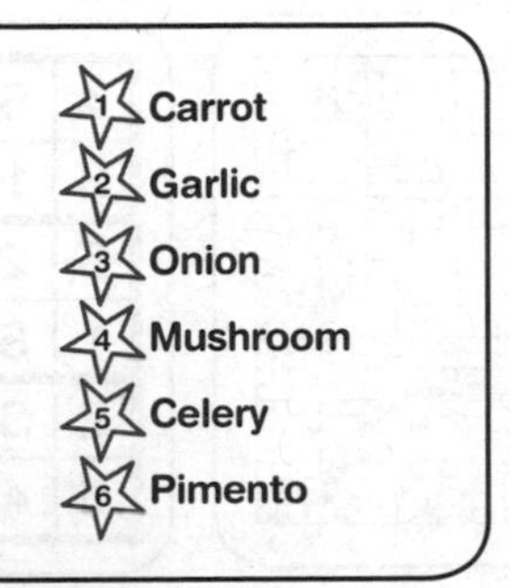

Jour 243

Jour 244

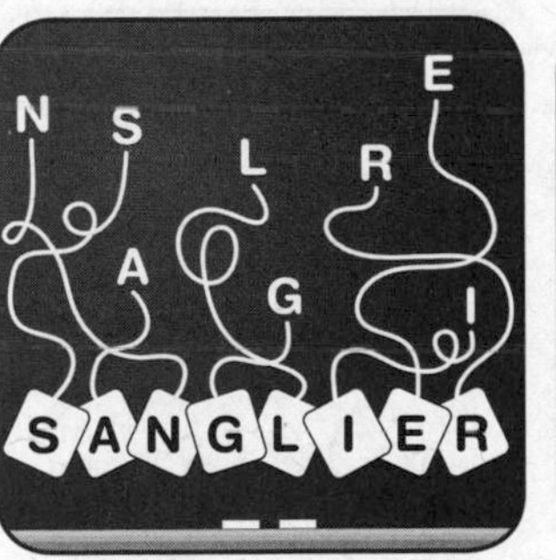

Jour 245

Jour 246

1	P	O	U	L	E		
2	A	I	D	E			
3	I	M	P	U	R	E	
4	N	U	L				

Jour 247

ZÈBRE

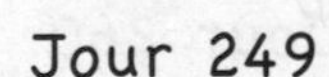

Jour 249

1. CHIEN
2. GRENOUILLE
3. TORTUE
4. CHAT
5. POISSON
6. HAMSTER

IGUANE

Jour 250

LA LIBELLULE
A SIX PATTES MAIS
NE PEUT PAS MARCHER.

SOLUTIONS

Jour 251

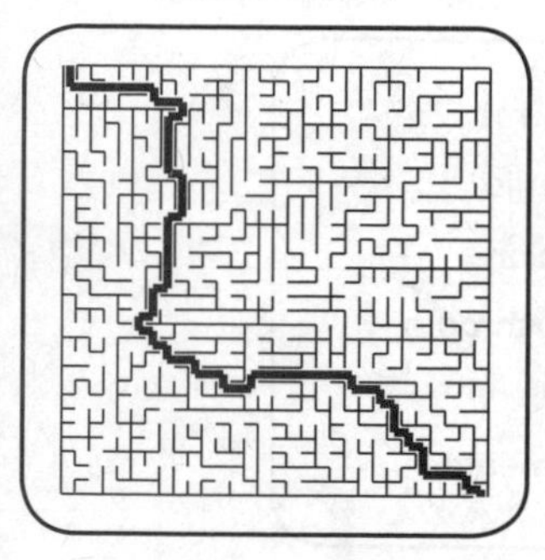

Jour 252

4	5	2	1	3	6
3	1	6	5	4	2
5	2	3	4	6	1
1	6	4	3	2	5
2	3	5	6	1	4
6	4	1	2	5	3

Jour 253

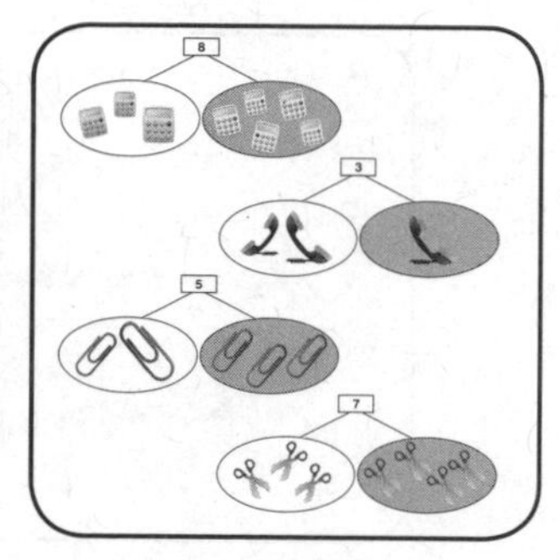

Jour 254

Jour 256

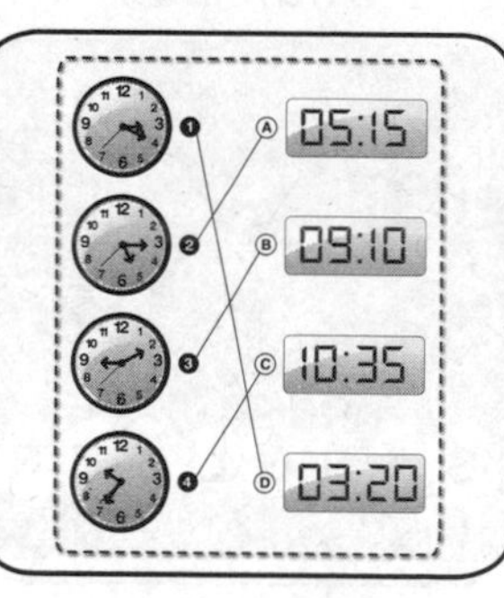

Jour 257

Jour 258

13	16	48
4	54	19
60	7	10

Jour 260

Jour 261

Jour 263

Jour 264

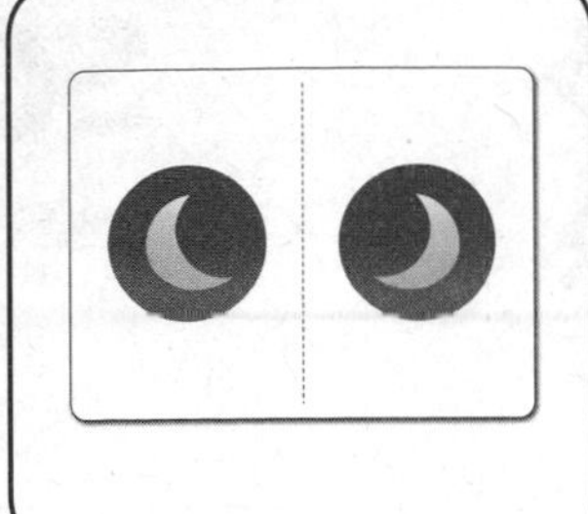

Jour 265

Jour 266

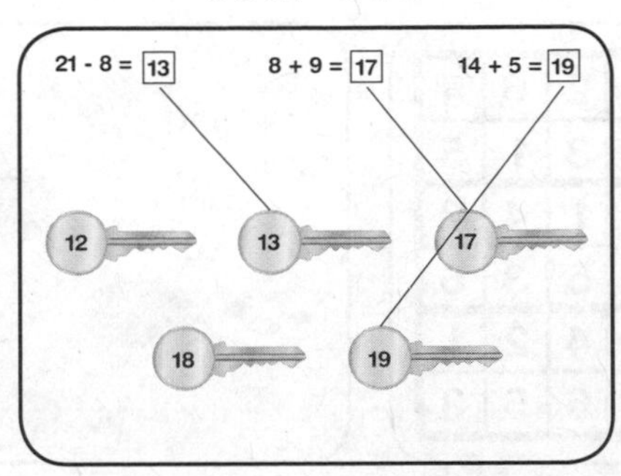

Jour 267

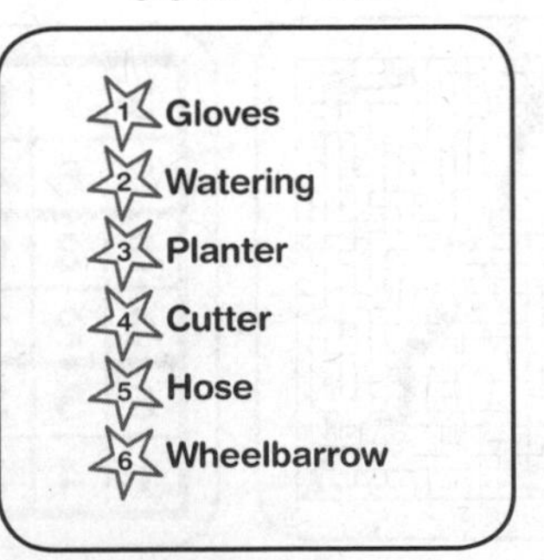

Jour 268

Jour 269

Jour 270

Jour 271

1	B	R	U	N				
2	L	I	R	E				
3	E	N	C	A	D	R	E	R
4	U	R	G	E	N	T		

Jour 272

ANCRE

Jour 274

1. BACON
2. CRÊPES
3. JUS
4. GAUFRES
5. SAUCISSES

ŒUFS

Jour 275

LE CROCODILE NE PEUT PAS BOUGER SA LANGUE.

SOLUTIONS

Jour 276

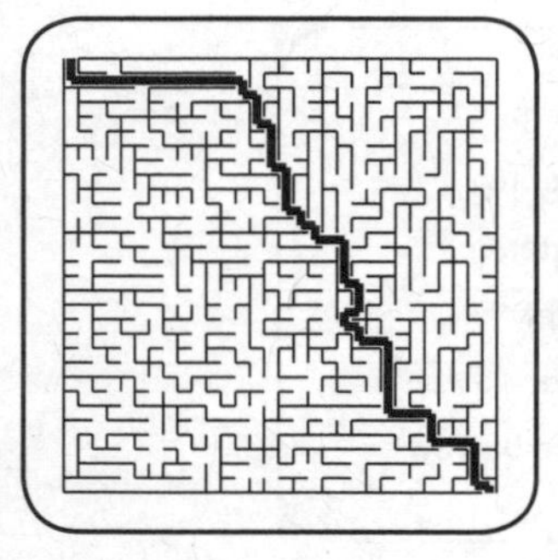

Jour 277

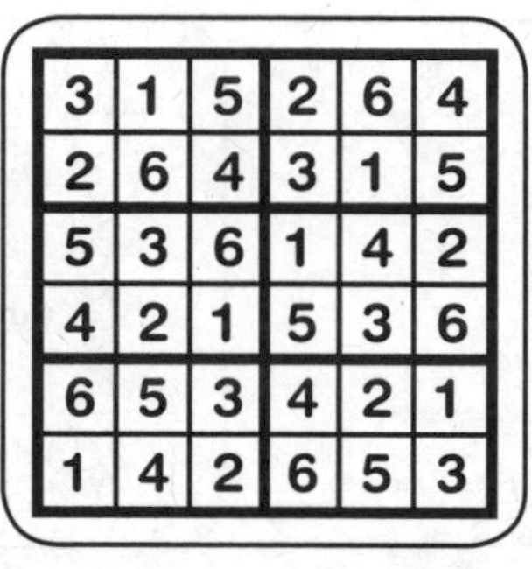

3	1	5	2	6	4
2	6	4	3	1	5
5	3	6	1	4	2
4	2	1	5	3	6
6	5	3	4	2	1
1	4	2	6	5	3

Jour 278

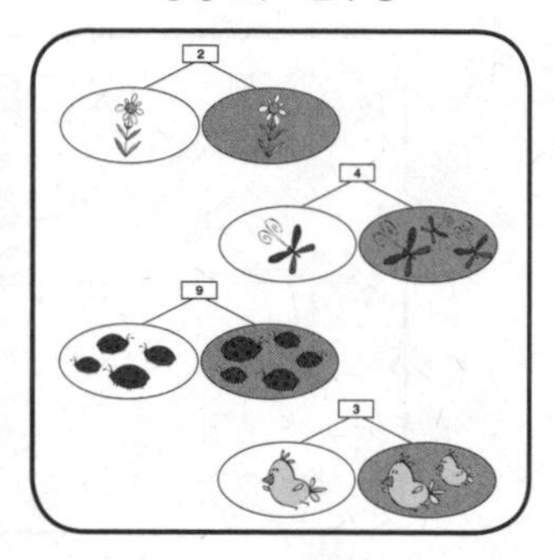

Jour 279

Jour 281

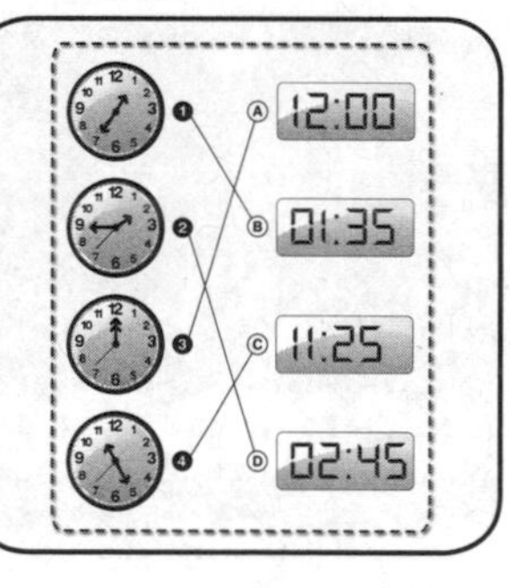

Jour 282

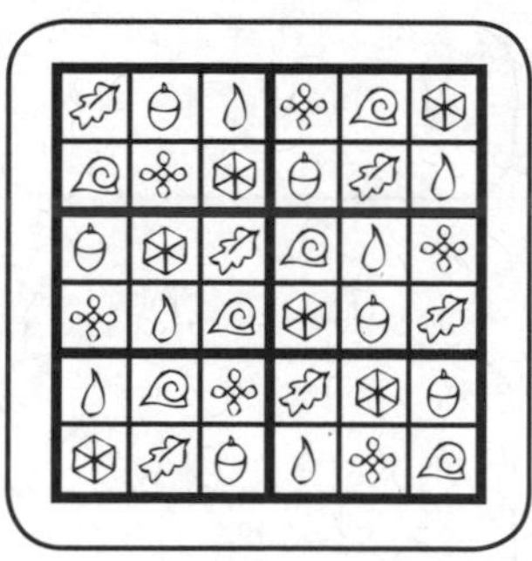

Jour 283

27	8	44
30	33	16
22	38	19

Jour 285

SOLUTION B:1 B:2 B:11 B:3 B:8

Jour 286

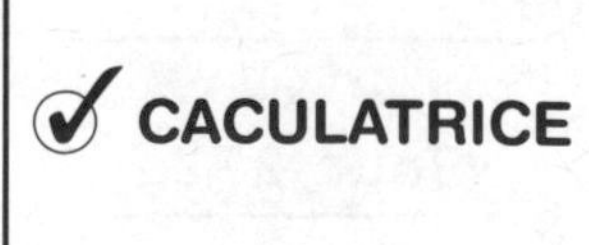

Jour 288

Jour 289

Jour 290

Jour 291

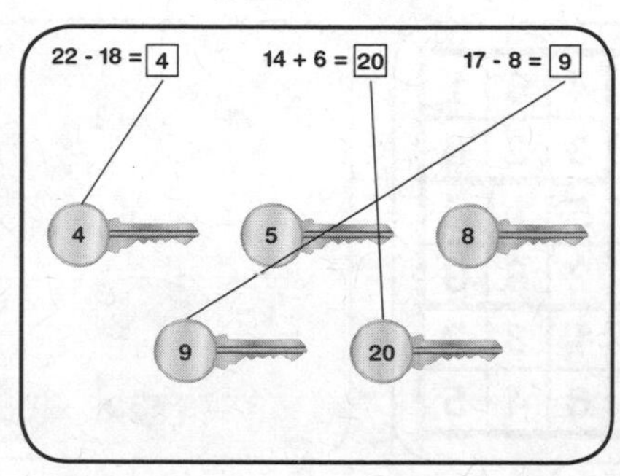

Jour 292

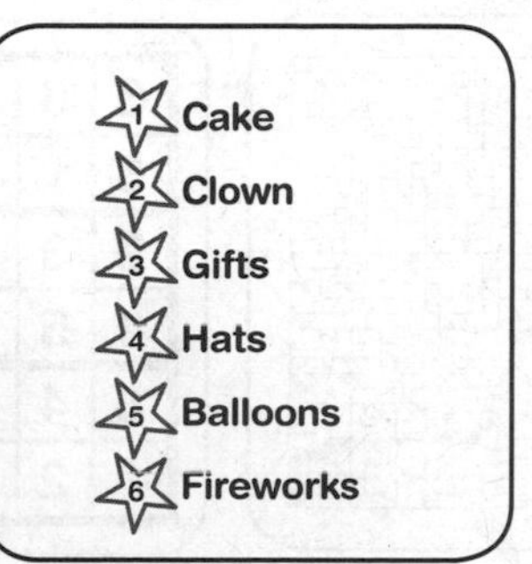

Jour 293

2

Jour 294

Jour 295

Jour 296

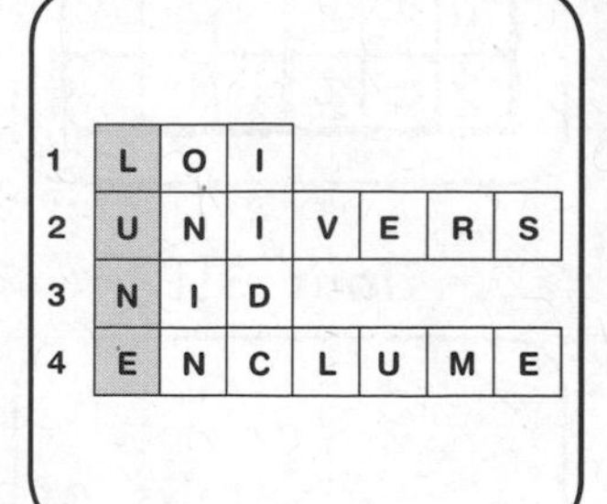

Jour 297

CLÔTURE

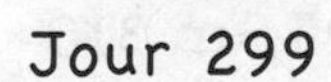

Jour 299

1. GUITARE
2. PIANO
3. HARMONICA
4. TROMPETTE
5. FLÛTE

GAMME

Jour 300

LA FOURMI S'ÉTIRE QUAND ELLE SE RÉVEILLE LE MATIN.

SOLUTIONS

Jour 301

Jour 302

3	6	2	4	5	1
5	1	4	3	2	6
2	3	6	5	1	4
4	5	1	2	6	3
6	4	5	1	3	2
1	2	3	6	4	5

Jour 303

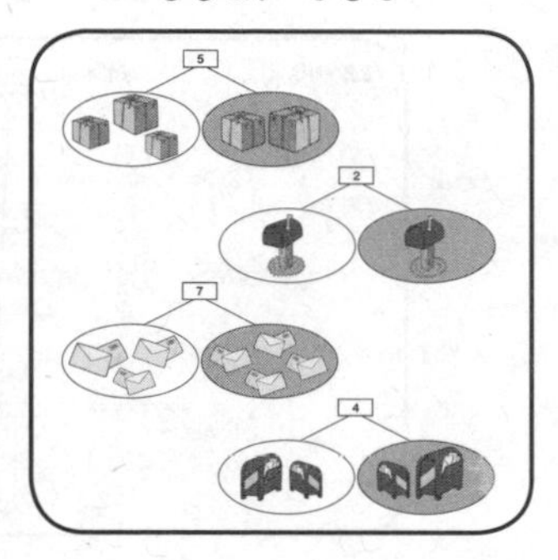

Jour 304

Jour 306

Jour 307

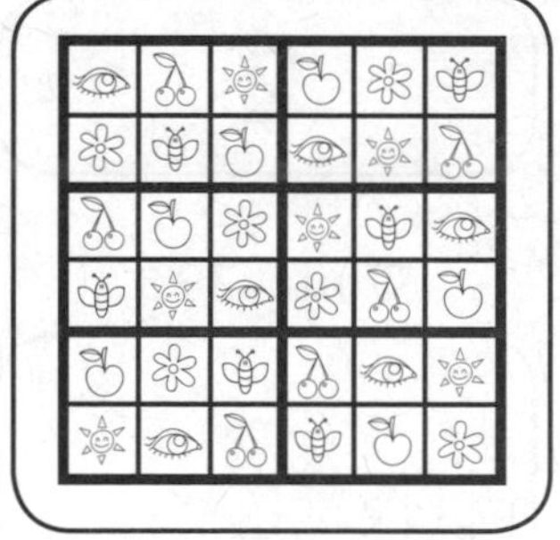

Jour 308

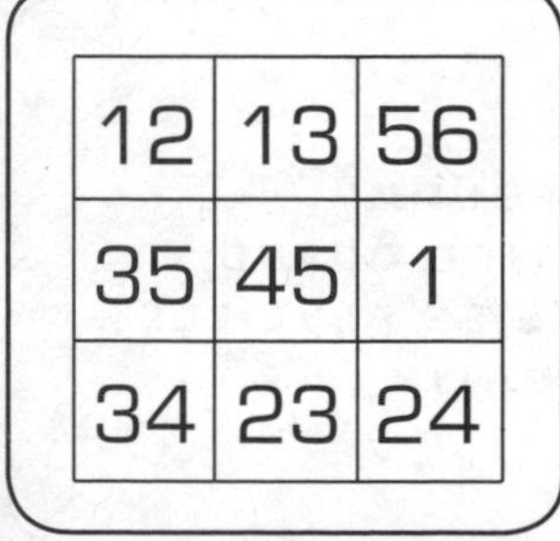

12	13	56
35	45	1
34	23	24

Jour 310

Jour 311

Jour 313

Jour 314

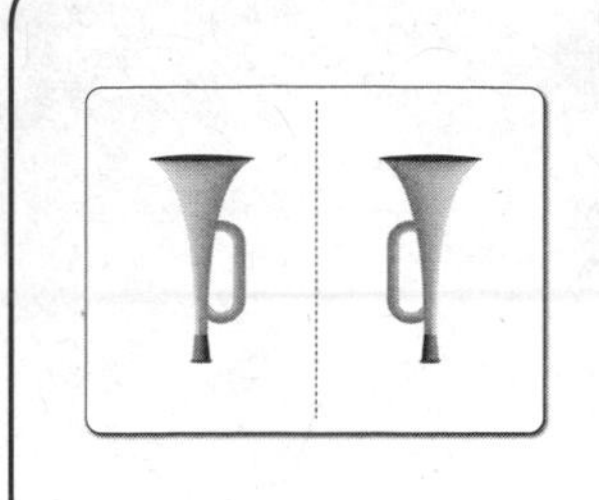

Jour 315

Jour 316

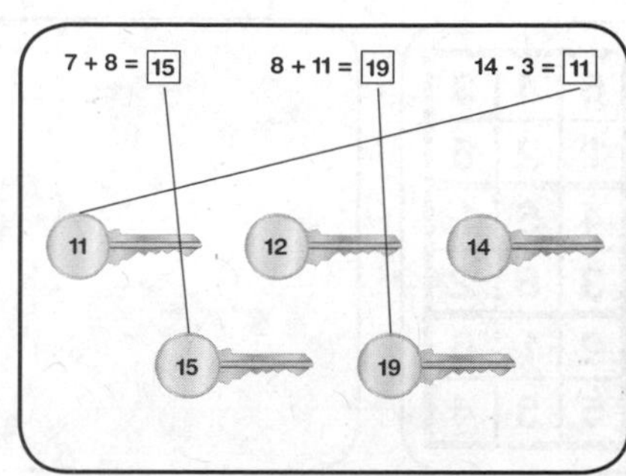

Jour 317

Jour 318

3

Jour 319

Jour 320

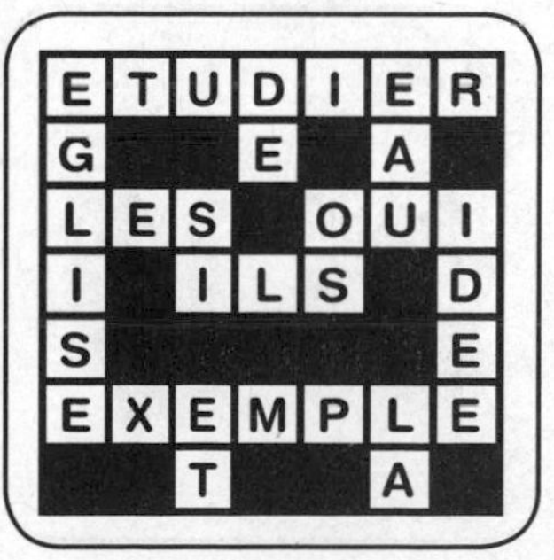

Jour 321

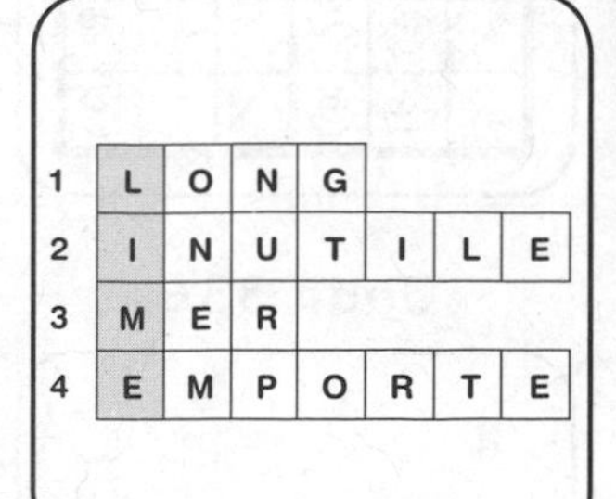

Jour 322

RAQUETTE

Jour 324

1. PÉTALE
2. FEUILLE
3. RACINE
4. ENGRAIS
5. TIGE
6. FLEUR

PLANTE

Jour 325

LA PUPILLE DE LA PIEUVRE EST RECTANGULAIRE.

SOLUTIONS

Jour 326

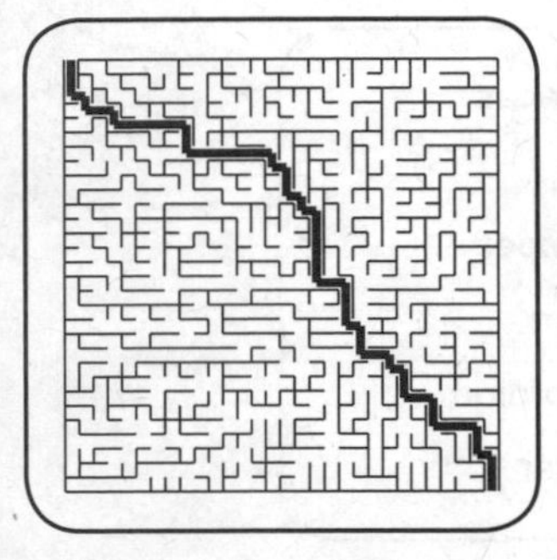

Jour 327

1	2	5	6	4	3
3	6	4	1	2	5
6	3	2	4	5	1
4	5	1	3	6	2
5	4	3	2	1	6
2	1	6	5	3	4

Jour 328

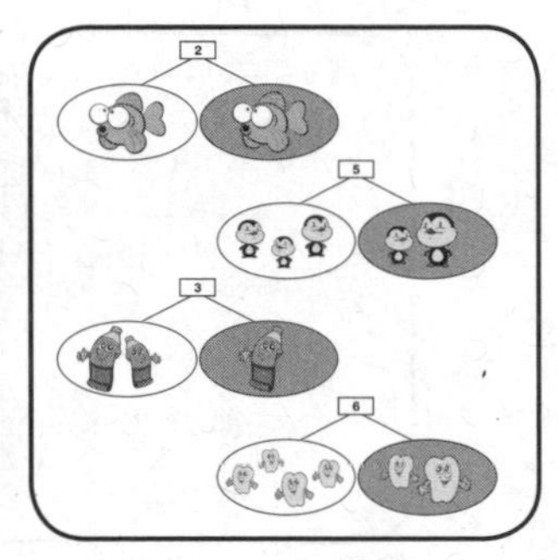

Jour 329

Jour 331

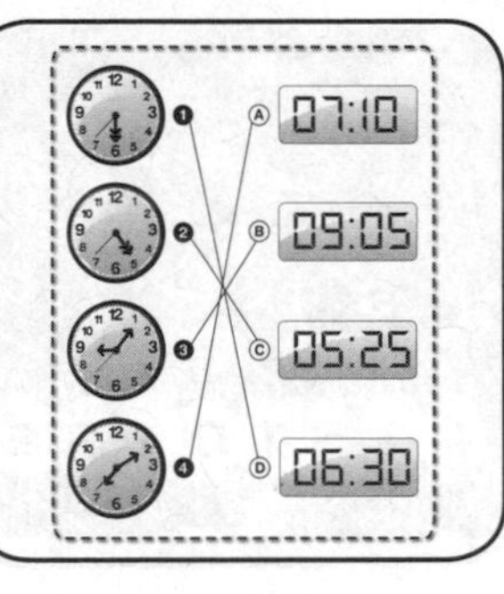

Jour 332

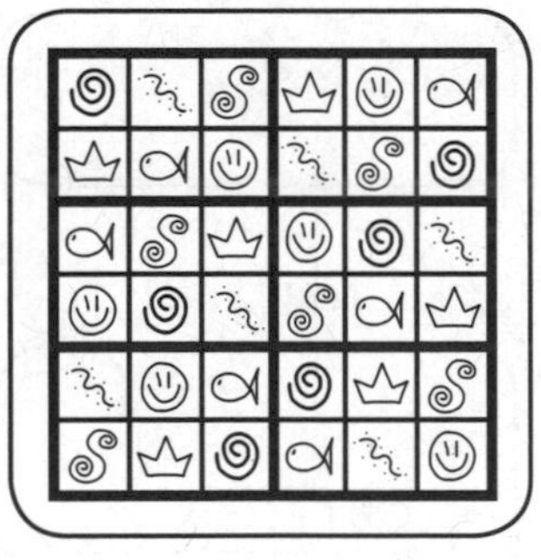

Jour 333

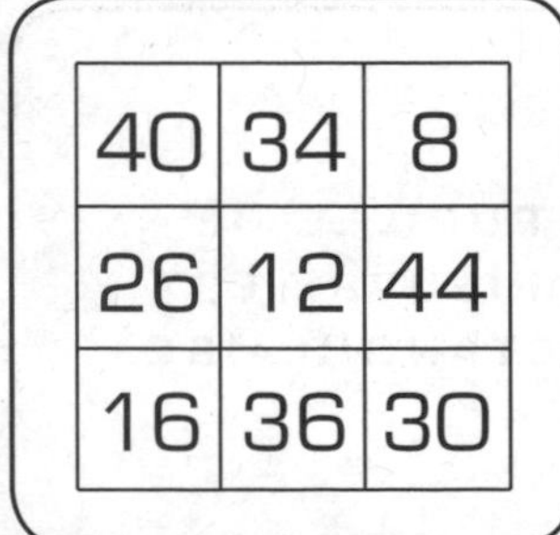

40	34	8
26	12	44
16	36	30

Jour 335

Jour 336

Jour 338

Jour 339

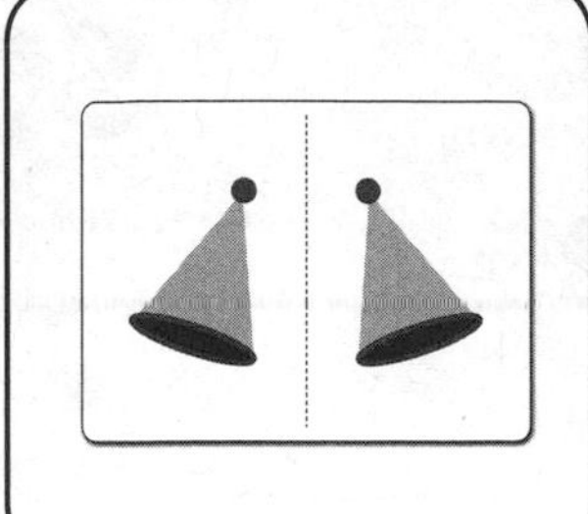

Jour 340

Jour 341

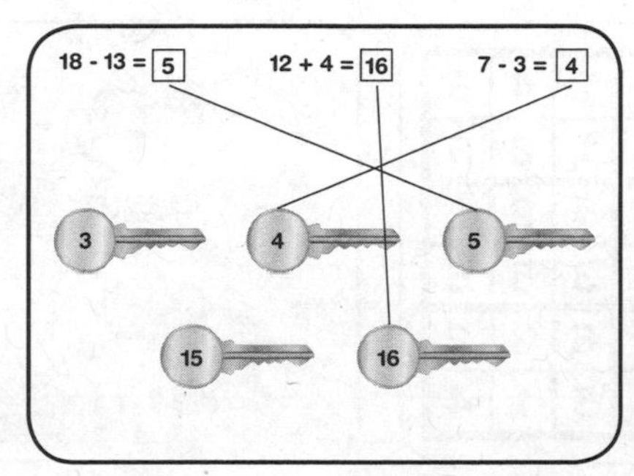

Jour 342

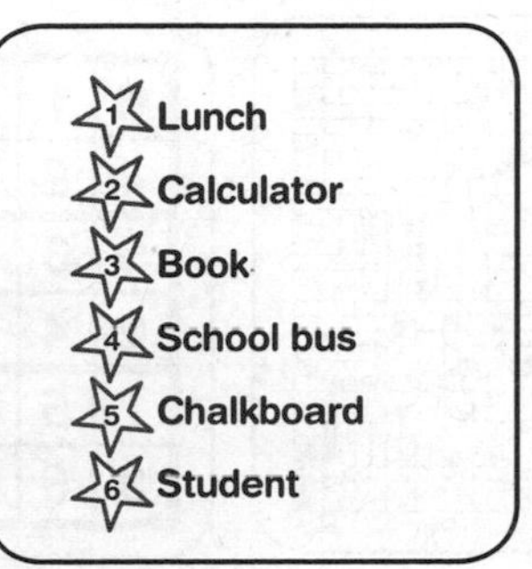

Jour 343

Jour 344

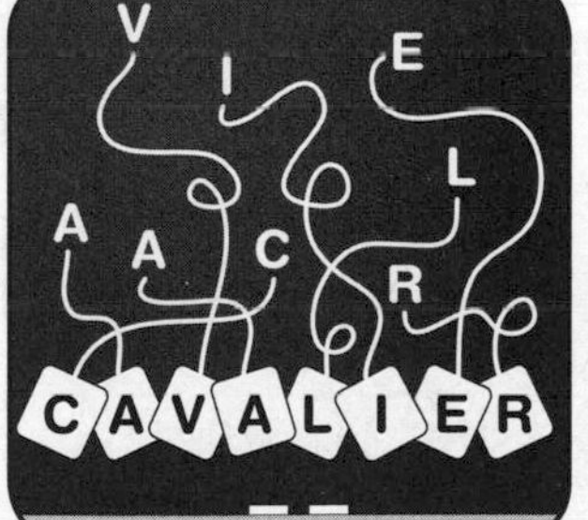

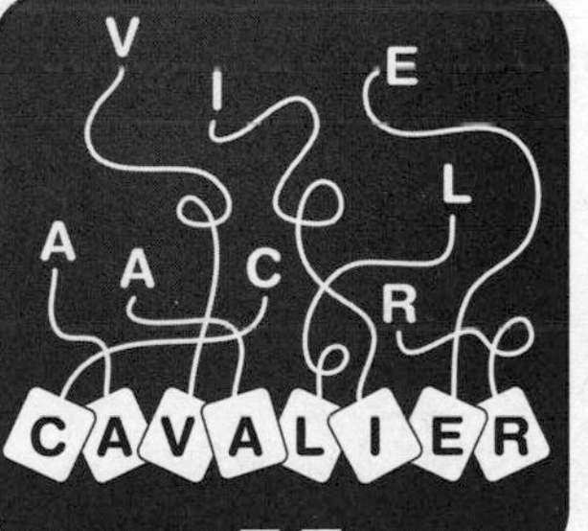

Jour 345

Jour 346

1	L	I	E	U			
2	A	I	R				
3	I	N	O	D	O	R	E
4	T	R	O	P			

Jour 347

TORNADE

Jour 349

1. ESCARGOT
2. FOURMI
3. COCCINELLE
4. CHENILLE
5. SAUTERELLE

RUCHE

Jour 350

L'EAU CHAUDE GÈLE PLUS VITE QUE L'EAU FROIDE.

SOLUTIONS

Jour 351

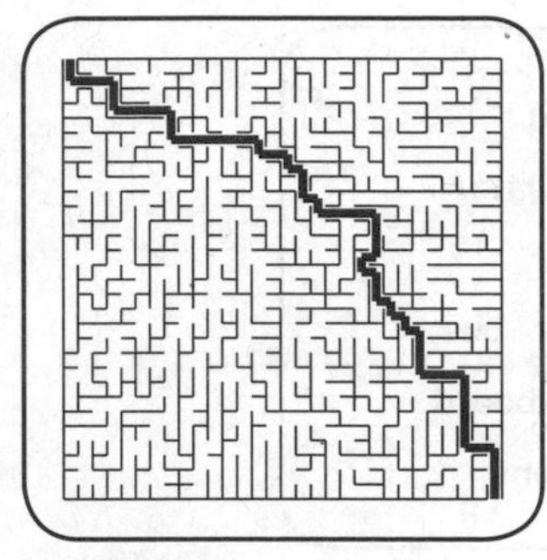

Jour 352

6	1	3	2	4	5
4	2	5	1	6	3
5	3	6	4	2	1
2	4	1	3	5	6
1	5	4	6	3	2
3	6	2	5	1	4

Jour 353

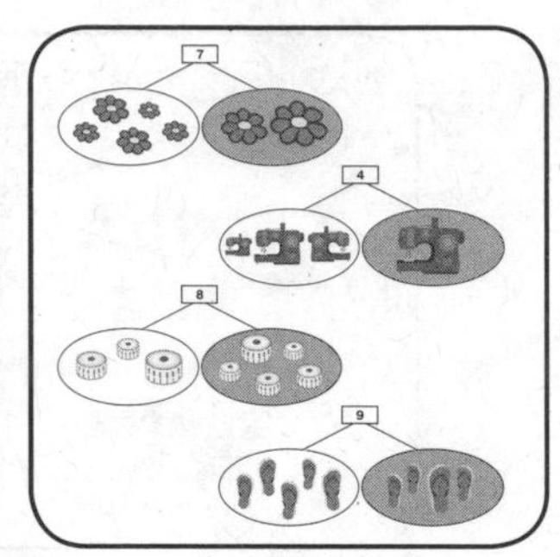

Jour 354

Jour 356

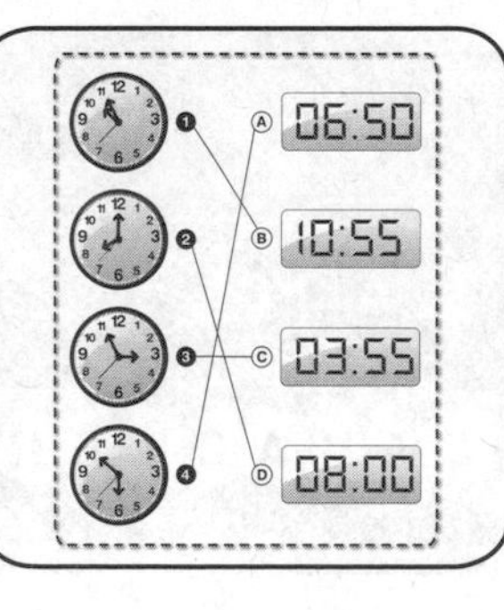

Jour 357

Jour 358

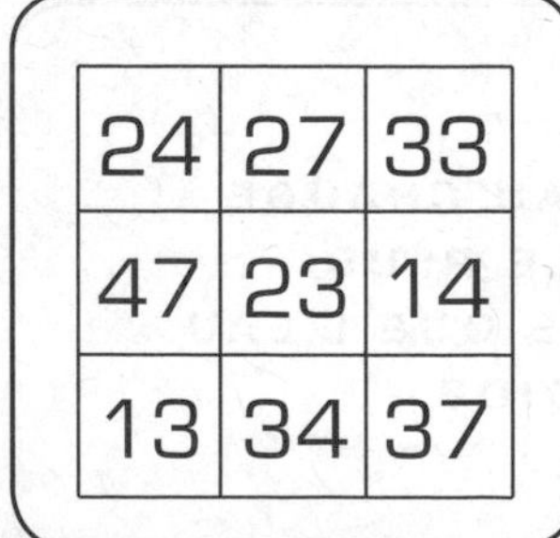

24	27	33
47	23	14
13	34	37

Jour 360

Jour 361

Jour 363

Jour 364

Jour 365

L'utilisation de 11 114 lbs de SILVA SCOLAIRE 94M plutôt que du papier vierge aide l'environnement des façons suivantes :
Arbres sauvés : 94
Réduit la quantité d'eau utilisée de 348 050 L
Réduit les émissions atmosphériques de 13 704 kg
Réduit la production de déchets solides de 5 272 kg

C'est l'équivalent de :
Arbre(s) : 6 terrain(s) de football américain
Eau : 994 jours de consommation d'eau
Émissions atmosphériques : émissions de 5 voiture(s) par année

Québec, Canada
2012